魂をもてなす
霊的同伴への招待
中村佐知［著］
あめんどう

――目次――

第8章　グループでの霊的同伴　167

おわりに　197

謝辞　201

聖書の引用は、『聖書　新改訳２０１７』（新日本聖書刊行会）を使用

はじめに

霊的同伴との出会い

私がスピリチュアル・ディレクション（霊的同伴）と出会ったのは、二〇一一年のことでした。当時、私が通っていた教会には「霊的形成担当牧師」という肩書きの牧師がいて、その牧師が霊的同伴について書いたブログを読んだのがきっかけです。彼は、「霊的同伴者（スピリチュアルディレクター）は、祈りにおいて、また日々の生活の中で、あなたが神の御声を聞き分け、神との関係を深めることを助けます」と書いていました。そして同伴を受ける希望者を募っていました。「霊的同伴」など聞いたこともなかった私は、それがどういう働きなのか見当もつきませんでした。しかし、私の神との関係を深めるお手伝いをしてもらえるならぜひお願いしたいと思い、すぐに申し込んだのです。

そうして、毎月一回、一対一で同伴者と会うことになりました。そのセッションでは、私の霊的状態や日々の祈りのこと、たとえば何についてどんなふうに祈り、そのとき私はどう感じ、神はどう応答されたように思ったか、などを分かち合いました。また、強い感情を引き起こされた出来事や、心に引っかかっている出来事について話すこともありました。重要な選択や何か判断しなければならないことについても話しました。遠慮なしに自分のことばかりを一方的に話し、それをじっくり聞いてもらえるのは、普段の生活ではなかなかないことなので、本当にありがたく、贅沢に感じました。同伴者であるこの牧師は、「霊的同伴はあなたのための時間です。あなたが分かち合いたいと思うことを、好きなだけ話してください」と言ってくれるのでした。

当時の私は、次女が鬱（うつ）で苦しいところを通っていた時期でもあり、親としての自分のあり方に自信がなく、迷いや自分を責める思いに悩まされていました。そんな中で霊的同伴者は、私が神の愛と慈しみのうちにとどまれるよう助けてくれました。それまで私がしたことのなかったような祈り方も教えてもらいました。何より、主の前に静まること、そして自分の願う結果を得ることを求めるのでなく、むしろ「アウトカム（出来事の結果）へのこだわりを手放す」ことについて、繰り返し教えられました。と言っても、必ずしもそれを直接私に教えてくれたわけではありません。同伴者がしてくれたのは、私の目と耳を、絶えず語っておられる神へと向け、その御声を聞いて応答するように助けることでした。

そうやって同伴のセッションを重ねるうちに、同伴者との会話を通していろいろな気づきを与えられ、私の物事の見方や応答の仕方、祈り方がだんだんと変わっていきました。

この同伴者には三年間付き添ってもらいました。そして、私と同年代の中国系シンガポール人のワイチン・マツオカ氏を次の同伴者として紹介してもらいました。彼女との関係は現在でも続いています。彼女とのセッションが私にとってどのような体験であり、そこからどのような恵みを受けているかについては、拙著『隣に座って』[1]や『まだ暗いうちに』[1]でもたびたび言及しています。

私の中に生まれた願い

ワイチンに同伴してもらうようになると、多くの恵みと祝福をいただいているこの素晴らしい働きに私も携わって、ほかの人たちの魂の旅路に同伴したいという願いが湧いてきました。それ以前からも、いろいろな人の相談に乗ったり、お話をうかがったりすることがあり、もしかしたら自分は、そういう働きに召されているのではないかという思いもありました。そこでワイチンに相談した上で、二〇一四年の夏、シカゴ郊外にある「クリストス霊的形成センター」が提供する二年間の訓練プログラムに申し込みました。

そのプログラムの名称は、「テンディング・ザ・ホーリー（Tending the Holy）」といいました。暖炉や焚き火の薪の火が消えないように、薪を継ぎ足したり、風を送ったり、薪を突っついたりすることを、「炎をテンド（tend）する」と言います。Tendという英語は、何かに注意を払い、世話をし、それが消えたり死んでしまったりしないように、むしろますます大きく育つように手入れすることを意味します。the Holyとは、聖なるもの、すなわち人の魂を指します。つまり「テンディング・ザ・ホーリー」とは魂のケアのことで、霊的同伴の本質を見事に表現しています。

本書執筆の経緯

二〇一六年、霊的同伴を受けてきた私の体験について、あるキリスト教雑誌からの依頼で寄稿しました。二〇一九年の一時帰国の際は、同じテーマで二回の講座を持たせていただく機会がありました。定員二五名のところに八〇名ほどの申し込みがあり、予想以上の関心の高さに驚かされました。本書は、先の雑誌への寄稿記事と講座原稿をもとに、語りきれなかった詳細をさらに書き加える形で執筆したものです。

私は同伴を受け始めて一〇年、同伴者として仕えるようになりわずか六年ほどの経験の浅い者です。本来なら、素人同然の私がこのような書物をしたためるのは論外ではないかと思います。しかし、この短い期間にも、主の導きにより、さまざまな資料や体験に触れる機会をいただきました。そのような恩恵を享受してきた者として、その恵みを少しでも日本の皆さんにお分かちできたらと願い、本書の執筆に踏み切りました。

本書は専門家による解説や入門書のようなものではなく、私が学んできたこと、体験してきたことを分かち合うスタンスで書かれています。ですから、この本を読めば誰でもすぐに霊的同伴者になれる、というようなものではまったくありません。また本書は、霊的同伴についてのすべてを網羅するものでもありません。私自身まだ学んでいる最中であり、霊的同伴者としても旅の途中にいる者です。

現在の日本では、霊的同伴に関する資料がまだ少なく、わずかながらの翻訳文献があるだけのようです。また、「霊的同伴」とは耳慣れない言葉なので、さまざまな誤解を招いている部分もあるかもしれません。そこで本書が、この働きを分かりやすく紹介し、誤解があるなら、それを少しでも払拭するものとなるなら幸いです。また霊的同伴に関心のある方が、その働きに召されているかどうかを識別する助けとなり、召されていると確信された方にとっては、その学びの一助となれるなら、とてもうれしく思います。

なお、英語の「スピリチュアル・ディレクション（Spiritual Direction）」を直訳すれば、「霊的指導」ですが、日本でこの働きを以前から行なってきたカトリック教会では、近年、「霊的同伴」という言い方をするようになっているそうです。この点については後述しますが、本書では基本的に「霊的同伴」という呼称を用います。文脈によっては「霊的指導」や「スピリチュアル・ディレクション」と言うときもありますが、いずれも同じものを指します。

なお、本書のタイトルや文中で「魂」という言葉を用いていますが、注意しなくてならないのは、この言葉は文化的影響を受けやすいことです。霊性神学の大家ダラス・ウィラードは魂について『心の刷新を求めて』（22頁参照）の中で、思考、感情、意志、体、対人関係を統合させてひとつのいのち、ひとりの人間を形成する、その人全体を指すものと言いました。本書でもその意味で「魂」という言葉を用いています。実際、霊的同伴では、食事や睡眠、運動など、体のケアをどうしているかが話題になることもあります。

文中に引用する英語の文献の翻訳は、一部を除き著者（中村）が原文から訳出しました。邦訳が出ているものについては、各章の末尾に原書の出版データと共に、邦訳書の出版データを記載し、既存の訳を用いた場合は邦訳書のデータのみ記載しています。

1 中村佐知『隣に座って―スキルス性胃がんと闘った娘との11か月』（二〇一九年）、同『まだ暗いうちに―スキルス性胃がんで娘を天に送った母のグリーフワーク』（いのちのことば社 二〇二一年）

第Ⅰ部　霊的同伴を理解する

信仰の友や信仰共同体が一緒に旅をする目的は（それが二人だけであろうと小グループであろうと）、各人が持つ神への願いに互いに耳を傾け、その願いを互いの中に育み、その願いと一致する生き方を模索することにおいて互いに支え合うことです。

ルース・ヘイリー・バートン[1]

第1章　霊的同伴とは何か

流行か、聖霊の導きか

英語圏では二〇年ほど前から、クリスチャニティ・トゥデイなどのキリスト教雑誌で「スピリチュアル・ディレクション」が話題に上るようになってきました。近年では、ニューヨークタイムスやハフィントンポストなど、一般のメディアでも取り上げられているのを見かけます。

霊的同伴の主要な教科書とも言われるW・A・バリー、W・J・コノリー著『スピリチュアル・ディレクションの実践』[2]（邦訳未刊）の一九八二年初版の前書きによると、イエズス会の司祭である著者は、霊的同伴が当時、カトリックだけでなくプロテスタントの間でも広がり始めていると指摘しています。そして、それがアメリカの霊性における単なる流行であるなら、一〇年も続かないだろうと述べました。この初版から二七年後の二〇〇九年には改訂版が出ました。その前書きには、それが中国語、フランス語、ドイツ語、イタリア語、ポーランド語、ポルトガル語にも翻訳され、またキリスト教以外の信仰者の間でも広がっていると記されています。

ケネス・リーチ（聖公会司祭）は、『魂の同伴者―現代世界におけるキリスト教の霊性』[3]（原書初版一九七七年、邦訳二〇一四年）の改訂版序文の中で、「一九九四年の今……霊的指導は再び大『流行』となっている」（関訳）と述べています。

本書を準備している今は二〇二一年です。バリーとコノリーが「単なる流行なら一〇年も続かないだろう」と言ったときからすでに四〇年近くが過ぎました。しかしアメリカでは、霊的同伴の働きの広がりは収まる気配がありません。それどころか日本の教会の間でも、しばらく前から少しずつ関心が生まれてきているのが伺われます。『魂の同伴者』の冒頭で、同書の発行者でもある渋谷聖公会聖ミカエル教会管理牧師の成成鍾（ソンソンジョン）司祭が、「今後の日本のキリスト教会においても、霊性や霊的指導は極めて重要な要素と考えられ、関心も高まってくるものと想定されます」と述べています。

実際、東京にある無原罪聖母修道院（イエズス会）では、二〇〇一年より霊的同伴者養成研修会が始まりました。同修道院の柳田敏洋神父に伺ったところ、参加者は当初、全員がカトリック司祭・修道女・信徒などでしたが、二〇一三年ころからプロテスタントの信徒も参加するようになり、現在では参加者の約四分の一がプロテスタント信者（牧師、神学生も含む）だとのことでした。さらに近年では希望者が増え、追加コースを設けることもあるそうです。柳田神父は、「このような時代や社会の中で、霊的なものへの渇きがカトリック、プロテスタントを問わず増えているように思える」と語っておられました。

また、日本の福音派のキリスト教教職者の交わりと研鑽の場を提供する「牧会ステーション」では、二〇一七年度より特別クラスとして、イエズス会の英隆一朗神父による霊的同伴を学ぶ講座を開講しています。

それでは、霊的同伴を定義し、それが具体的にどういう働きなのかを概観するところから始めましょう。しかしそのためには、先に「霊性」と「霊的形成」をどう理解するかを整理する必要があります。

霊性（スピリチュアリティー）とは

霊性とは何でしょうか。まず霊性とは、クリスチャンや宗教的な人だけにかかわるものではありません。テイヤール・ド・シャルダン（イエズス会司祭、思想家 1881-1955）は「私たちは霊的経験をしている人間（human beings）ではなく、人間の経験をしている霊的存在（spiritual beings）なのである」と言ったそうです。クリスチャンに限らず、また信仰のあるなしにかかわらず、人はみな神の像（かたち）に似せて造られ、神によって息を吹き込まれた「霊的」な存在なのです。

実際、その定義は曖昧（あいまい）であるものの、近年「霊性・スピリチュアリティー」や「霊的（スピリチュアル）なもの」への関心が高まっていると言われます。書店に行けば、「スピリチュアル」というコーナーがあり、ニューエイジ系を含め、たくさんの本が並んでいます。

N・T・ライトは『クリスチャンであるとは』[4]（邦訳二〇一五年）の中で、「霊性・霊的であること（スピリチュアリティ）」を、合理主義や懐疑主義という厚いコンクリートで覆われた地表の下から「人の心と社会の中に溢れ出てきた隠れた泉」と表現しました。これは、クリスチャンの霊性のことだけを指しているのではありません。

旧約聖書の伝道者の書には、「神はまた、人の心に永遠を与えられた」（3・11）とあります。それは、自分を超越した何か、いにしえの昔から永遠の彼方まで存在する無限の何かを求める思いを、神は人に与えられたということではないでしょうか。それは、今自分が見ているもの、今体験していることがすべてではないのではないか、自分を現状から救い出してくれる何か、今の自分にはない豊かさを与えてくれる誰かが存在するのではないかと、漠然とではあっても感じる思いです。つまり人は誰しも、何か自分を超越した大きな存在との深いかかわりを求める思いや願いを持つのでしょう。それを広く「霊性」と呼ぶのかもしれません。

そして当然のことながら、どこに、また何に、その「自分を超越した大きな存在」を見出すのかは、人によって異なるでしょう。漠然とした「高次の力」や「大自然」を想定する人もいれば、聖書の神こそそれだと思う人もいるでしょう。また、聖書の神こそ「自分を超越した大きな存在」だと思う人たちの間でも、その存在とのかかわり方は一様ではありません。カトリックとプロテスタントでも異なるでしょうし、カトリックの中でもイエズス会の霊性、カルメル会の霊性というように、さまざまなものがあります。プロテスタントの中でも、福音派、メソジスト、聖公会など、その霊性はやはり多様でしょう。

「霊性」の定義は、キリスト教に限定しても、多くの人たちが試みています。福音主義の霊性を考察する『「霊性の神学」とは何か』[5]（篠原明）では、「神との深いかかわりの状態」（ジェームズ・フーストン）、「福音の全体を生き抜くこと」（ユージン・ピーターソン）など、キリスト教霊性のさまざまな定義が紹介されています。それ以外にも、「神の霊を受け取り、反映させ、応答する、普遍的な人間の容量（キャパシティー）」[6]（マージョリー・トンプソン、米国聖公会司祭）という定義もあります。具体的にどういう表現で定義するとしても、キリスト教霊性とは、私たちと三位一体の神との関係にかかわるものであり、私たちの日々の生活に反映されるものであるようです。

霊的形成とは

近年、「霊的形成（スピリチュアル・フォーメーション、カトリックでは霊的養成）」という概念が、キリスト教霊性に関連して語られるようになりました。これは何を意味するのでしょうか。霊性がクリスチャンだけのものではないように、霊的形成もクリスチャンだけに起こることではありません。それは、人間の内なる部分、すなわち人格・品性が形造られていく、生涯続くプロセスのことです。

身体が食べ物や生活習慣によって形造られるように、人の内面も、その人が取り入れるもの（見るもの、読むもの、聞くもの、考えること、行うことなど）によって絶えず形造られ、独自の性質や品性を身につけていきます。本人が意識するしないにかかわらず、すべての人の内面は絶えず何らかの方向に形成されつつあるのです。これは、人間は歳を重ねながら、身体だけでなく内面も生涯にわたり成長・変化していくという現実の中に組み込まれています。言い換えれば、人間とは、いつでも何らかの霊的形成のプロセスの中にあるということです。ただしどういう方向に形造られていくのかは分かりません。人の内面の形成は、その人が人生の中で何を体験し、どういう人生を歩むかによって、それぞれの道筋をたどることになります。

C・S・ルイスはこう言っています。「あなたが今、こんなに退屈で冴えない奴はいないと思っている人が、いつの日か、思わずひれふしたくなるような人物になっているかもしれないし、あるいは悪夢としか思えないような、恐怖と悪徳の権化と化しているかもしれない。多かれ少なかれ、私たちは一日中これらのどちらかに向かっていくのを互いに手伝っているのだ」[7]。

私たちは日々、どんな人間へと形造られていっているのでしょうか。幸いなことに、イエス・キリストを救い主として受け入れ、生ける神、三位一体の聖書の神との関係に入ると、その人の霊的形成に明確な方向性が与えられるようになります。それまで神との関係から切り離されたところで、この世のさまざまなものからの影響を受けつつ形造られていたその人が、キリストを救い主として受け入れたときから、聖霊によってキリストに似た者へと造り変えられて（トランスフォームされて）いくことが可能になります（参照 ガラテヤ4・19）。

神との関係を深めていく中で、また神の民の共同体に根ざすようになる中で、これまで自分の中に形造られてきたキリストに似ていない部分が、より神を愛し、自分を受容し、他者を愛する者へと形成され直していくのです。その形成され直すプロセスを、霊的変容（スピリチュアル・トランスフォーメーション）とも呼びます。「聖化」と言ってもいいかもしれません。

アズベリー神学校の副学長を務め、神学生たちの霊的形成の指導にもあたっていた新約聖書学者のM・ロバート・マルホーランド・Jr（1936－2015）は、クリスチャンの霊的形成を次のように簡潔に定義しています。

> クリスチャンにとっての霊的形成とは、他者のために、聖霊によって、キリストのかたちに似せられていくプロセスである。[8]

さらにこうも言っています。

それは神のことばによって私たちが形造られることであり、情報を得ることによって自ら変化をもたらすことではありません。クリスチャンの霊的形成とは、私たちの存在を形造る神との愛に満ちた関係であり、自己啓発や霊的成長や聖化のための方法やプログラムやテクニックではないのです。[9]

霊性に関して多くの著作のあるダラス・ウィラード（1935－2013）は、霊的形成というとき、それが個人の霊（つまり内面）の形成・変容であると同時に、神の御霊による形成・変容であるという二重の意味があることを指摘しています。[10]

旅路としての霊性

マルホーランドは、霊性について二つの捉え方を対比させています。

霊性を「何か所有するもの」と捉えるなら、霊的成熟への道は、自分が目指す霊性に到達し、その状態を保持するための、情報やテクニックを得ることに終始します。弟子であるとは「私が所有する」霊的生活とみなされ、それを得ることを可能にするための行動によって定義されることになります。それがもたらすのは、目指す霊性に「到達」させてくれそうな、テクニックや方法やプログラムの際限ない追求です。

しかし、霊性を「旅路」と捉えるなら、霊的成熟への道は、より忠実に神に応答していくことの中に見出されます。それは、ご自身の目的に沿って私たちの歩みを導いてくださる方、その恵みによって私たちの遠回りを贖ってくださる方、その力によって過去に通ってきた旅路の支配から私たちを解放し、道を曲がるごとにそのご臨在をもって私たちと出会い、変容へと招いてくださる方、その神への応答です。言い換えれば、全人的な霊性とは、私たちの人生と存在の上にある神のご支配に対して、より敏感に応答できるようになっていく巡礼の旅路なのです。[11]

前者の見方は、霊性を静的なもの、自分が習得すべき対象物のようにみなしています。そこでの主体は自分です。自分が目指し、自分が得るものです。機能性や効率が重視される私たちの社会では、「霊性」でさえも、自分が得るもの、所持するもの、習得するもの、達成するもの、と考えられがちかもしれません。「どうしたらもっと霊的になれるのか？」といった問いは、まさにそういう考え方からくるのでしょう。霊性が「私が得るもの」、「達成するもの」であるなら、マルホーランドが指摘しているように、私たちに必要なのは、それを得るため、達成するための方策（テクニック、プログラム、方法、知識など）ということになります。

しかし後者の見方は、霊性を動的（ダイナミック）で、神とのかかわりの中で変化していくものとして捉えています。主体は神で、自分はそれに応答する者です。つまり、聖霊の導きや促しに応答しつつ神に向かって歩んでいく、霊的変容の旅路です。霊性が旅路であるなら、私たちに必要なものは「道連れ」、旅の仲間ではないでしょうか。

霊的同伴の定義

霊的同伴では、その名前が示唆するように、「霊性」を「旅路」とみなします。霊的同伴とは、他者のその旅路に同伴するという意味なのです。

キリスト教における霊的同伴を定義するならば、「一人のクリスチャンがもう一人のクリスチャンの霊的旅路（キリストに似た者へと変えられていく霊的形成、霊的変容の旅路）に同伴し、その人が神との関係をより深め、自分の日々の生活の体験の中にある神の臨在や、御業や、自分に対する神からの個人的な語りかけに気づき、注意を払い、そこにある招きに応答していくことを助けるための定期的な面談」と言うことができます。

難しく聞こえますが、定義については、あまり一語一句神経質になる必要はありません。というのも、霊的同伴の定義は、細かい表現や強調点が、同伴者によって少しずつ異なるからです。霊的同伴は、しばしば「アート（芸術、技巧）」であると呼ばれます。科学のように、いつ誰が行なっても同じ結果が得られるというものではなく、聖霊主導の働きなのです。

同伴者が助けるのは、技術や情報などの習得ではなく、被同伴者が旅路の中で出会う一つひとつの景色の中に神を見つけることです。そこにある神の臨在に私たちの心（ハート）と思い（マインド）を向け、そこにおられる神の動きや働きや御声に、気づき、注意を払い、心と思いと行動をもって応答することです。そうやって神との関係を深めていくことです。

さらに、同伴を受ける人（以下、被同伴者（ディレクティー））が自分の内面に目を向けることも助けます。自分の内面で何が起こっているか、どんな心の動きが起こっているのかに注意を払うことを助けるのです。たとえば、物事が自分の計画どおりにいかなかったとき。人間関係にトラブルがあったとき。思いがけない機会が巡ってきたとき。大きな仕事をやり遂げたとき。被同伴者はそのとき何を感じているでしょうか？　どんなふうに反応しているでしょうか？　そこに神の臨在を、まなざしを、御手を、見つけることができるでしょうか？　神はそれをとおして何を語っておられるでしょうか？　何を示しておられるでしょうか？　どんな招きをしておられるでしょうか？　自分はその招きにどう応答したいでしょうか？

また、被同伴者の体験を、神が綴（つづ）っておられる物語、神の民の物語という観点から見るなら、その体験は何を意味しているでしょうか？　その苦しみ、喜び、葛藤、解放は、神の物語の中で他者の人生と、神の民の歴史と、どうつながるのでしょうか？　霊的同伴者は、被同伴者がそういったことを思い巡らし、振り返るのを助け、そのプロセスに寄り添います。

同伴者と被同伴者は、会話をしながら、その人の生活の中で語っておられる聖霊の御声に共に耳を傾けます。被同伴者は自分の生活の中で起こっていることや、その中で自分がどう感じ、どう反応しているかを語ります。同伴者はそれを聞いて、問いかけをしたり、同伴者が気づいたことや感じたことを分かち合ったりします。そうやって、被同伴者がその状況におられる神や、自分の内側で起こっていることに目を向けるように助けるのです。

霊的同伴をもっと簡単に表現するなら、祈ることを助ける働きだと言えるかもしれません。結局のところ、私たちの神とのかかわりは、さまざまな形での祈りを通してなされるからです。前述のM・トンプソンもこのように言っています。「霊的生活とは、神が私たちにどのようにかかわり、私たちが神にどのようにかかわるかに関係しています。祈りは、この関係の本質的な表現です[12]」。

逆にいえば、私たちと神とのかかわりはすべて祈りだと言えます。私たちに個人的に語りかけてくださる神の臨在や御声に気づくことも祈りであり、それに思いを巡らし、応答することも祈りです。神に目を向けること、神を切望すること、祈りたいという願いを持つことも祈りです。みことばを読むことも、奉仕することも、呼吸することさえも、そこに神との生きた交わりがあるなら、それは祈りです。

「祈りは生活であり、生活は祈りである」と言われることがあります。神と共に歩むクリスチャンの生活は絶えざる祈り、生活そのものが祈りと言えるのです。

霊的同伴の中心にあるもの

そういうわけで、霊的同伴の中心にあるのはいつでも、被同伴者と神との関係です。被同伴者は人生の旅路の中でさまざまなところを通っているでしょう。仕事、結婚生活、子育て、職場や学校、教会などでの人間関係、病、あるいは信仰の揺らぎや変化。落ち着いたところにいるかもしれませんし、不安定なところにいるかもしれません。一般的には、こういった援助の働きの目的は、癒しであったり、問題解決であったり、助けになるスキルの習得だったりするものです。しかし霊的同伴では、癒しや問題解決やスキル習得そのものよりも、その人が通っている状況の中で、その人がどのように神を求め、神とどういう関係を持ち、それがその人をどのように形造っていくのかということに注目します。

バリーとコノリーも前述の『スピリチュアル・ディレクションの実践』で、「霊的同伴を受ける動機は、神との関係において成長したいという願いであるべき」であり、「同伴の目的は被同伴者と神との関係を育むことなので、被同伴者が神に自分を開き、神の神秘（ミステリー）に対する抵抗を乗り越えるよう助けることが同伴者の第一の務めとなる」と述べています。

たとえば、その人が何らかの依存の問題を持っているとします。カウンセリングやセラピーであれば、その癒しと回復がゴールになるでしょう。しかし霊的同伴では、その中でその人が神とどういうかかわりを持っているのかに目を向けます。それはしばしば、その人の神観や、その人が自分自身をどう捉えているかということにもかかわってきます。癒しや回復を与えてくださるのは究極的に神なので、その神とのつながりに目を向けられるように助けるのです。

ただし、そのときに必要なものが、霊的同伴よりカウンセリングやセラピーである場合もあります。その場合、同伴者はカウンセリングやセラピーを受けるように勧めます。その結果、同伴を受けるのをやめてカウンセリングやセラピーを受けることにする人もいれば、問題を霊的観点と臨床的観点の両方から取り扱うために、両方を（別々の人から）受ける人もいます。

私たちと神との関係は、みことば、祈り、礼拝、そして日々の生活で体験する事柄などを通して深まっていきます。霊的形成・変容は、その関係の中で起こります。人生という魂の旅路における神の導きや招きに気づき、どう応答していくかで、より神と人とを愛することを学び、変えられていくのです。もちろん、その歩みは一直線ではなく、山あり谷あり、行き止まりのように感じるときや、あと戻りしているように感じることもあります。途中でじゃまが入ると感じることもあるでしょう。同じところを何度もグルグル回っているように感じることもあるでしょう。

霊的同伴をしていてよく聞くのは、「なんだか私、毎回おんなじことを言っていますね」という言葉です。みなさんそうおっしゃいます。私も自分の同伴者にそう言っています。自分でもがっかりするくらい、ちっとも変わっていないように感じることがあるからです。

もしこの歩みを一人でしているなら、そのうち失望して、諦めて投げ出したくなるかもしれません。魂の旅路は、一人で進むには心細いものです。だから同伴者が必要なのです。共にその旅路の景色を味わい、脇道を探索し、思いがけない宝を見つけ、共に喜びます。また迷ったり、不安になったり、弱くなっているときには、励まし、支え、一緒に歩いてくれる人です。

霊的同伴を表すさまざまな比喩

霊的同伴は定義するよりも比喩を用いて説明するほうが、イメージが湧きやすいかもしれません。実際、霊的同伴は比喩的に表現されることがよくあります。以下に代表的なものをいくつか挙げてみます。

旅の道連れ

まず、すでに言及したように、同伴者は旅の道連れのような存在です。ただ、旅の主役は被同伴者で、どこに行くかは被同伴者しだいです。この道連れは、ツアーガイドのように、旅程を被同伴者のためにあらかじめ決めて、そこを道案内する人ではありません。

しかし同伴者は、すでに自分の旅を続けてきているので、似たような道を以前通ったことがあるかもしれません。また、旅に役立つツールをいろいろ持っていることでしょう。そしてコンパスの使い方や地図の読み方のヒントを旅人に示すことができるでしょう。良いガイドブックを紹介するかもしれません。被同伴者が見ている景色を一緒に見て、その感動を分かち合います。被同伴者が道に迷ったら、安全な場所に出るための方向を示し、方向が分からなければ一緒に道を探すでしょう。

魂の助産婦

米国聖公会の司祭であり霊的同伴者でもあるマーガレット・ゲンサーは、霊的同伴者を「魂の助産婦[13]」と呼びました。赤ん坊が生まれてくるとき、助産婦は妊婦に付き添い、妊婦を励まし、援助し、赤ん坊が産道を通って出てくるプロセスが危険にさらされないよう守り、赤ん坊が無事に生まれてこられるよう、そのプロセスを促します。同じように霊的同伴者も、被同伴者に付き添い、励まし、援助し、その人のうちに聖霊によってキリストが形造られるプロセスを守り、促すのです。

生まれてくるのは、神がキリストのかたちに似せて造ってくださった真のその人です。私たちのうちにキリストを形造り、それを生まれさせてくださるのは神の働きです。霊的同伴者はそのプロセスに付き添います。

焚き火の番人

ニュージーランドの霊的同伴者スー・ピッカリング（聖公会司祭）は、霊的同伴者を焚き火の番人になぞらえています。[14] 番人は、燃える焚き火にあたりに来る旅人をもてなします。焚き火のまわりは暖かく、どう猛な野生動物が近づくこともなく安全です。旅人はそこに座って、自分が旅の途中で見たこと、体験したことを話します。あるいは炎をじっと見つめて無言で心身を休めるかもしれません。焚き火の番人は旅人の話に耳を傾け、旅人が黙り込んだら、その沈黙をじゃましないようにただ見守るでしょう。旅人は炎にあたって英気を養ったら、再び旅路につくでしょう。

焚き火の番人は、旅人が火にあたっているときだけでなく、そこに客人がいないあいだも、火が消えないよう適宜薪を足したり、ふいごで空気を送りこんだりします。ピッカリングはそのことを指して、それは同伴者自身の神との関係が、いつも生き生きとしたものであるよう自らを整え続けることを示唆すると述べています。火が小さくなってしまったら、旅人をもてなすことができないからです。

砂金採り

米国のフォーダム大学（イエズス会）宗教学科で霊性神学を教えるジャネット・ラフィングは、霊的同伴とは砂金採りのようだと言いました。[15] 砂金を採るには、川に入ってパンニング皿（砂金採りに使う皿）で川底から土砂をすくい上げます。水の中で皿を揺らしていると、砂や泥が洗い流され、砂利に混ざって金のかけらが光っているのが見つかります。

霊的同伴者も、被同伴者の人生という川の流れの中に被同伴者と共に入り、川底からいろいろなものをすくい上げます。何が出てくるかは分かりません。しかしすくい上げたものを二人で見ていくときに、何の変哲もない出来事や、ただつらいだけのような出来事の中にも、神の恵みや聖霊の働きが光っているのを見出すのです。一見するとどこに神がおられるのか分からない出来事の中にも、忍耐強くパンニング皿を揺らすようにして神の臨在や恵みを探すのです。

霊的同伴の歴史

「スピリチュアル・ディレクション」という言葉に私が初めて出会ったのは、九〇年代の半ばごろでした。アメリカのプロテスタントの神学校に留学中の日本人学生が、教授からスピリチュアル・ディレクションを受けていると言っていたのです。そのときの私は、「牧会カウンセリングの神学校版だろう」くらいに思ってほとんど気にとめず、その後はすっかり忘れていました。私が本格的に霊的同伴を知るようになったのは、すでに述べたように、その約一五年後、二〇一一年のことでした。

霊的同伴と聞くと、何か突然出てきた流行(はや)りものや、神を求める新奇な方法のように思われるかもしれません。あるいは得体のしれないスピリチュアル系のものだと思われるかもしれません。しかし決してそうではないのです。実際、これは古くからクリスチャンたちの間で、魂のケアのために行われていたと言われています。霊的同伴の歴史と、さまざまなキリスト教霊性の流れの中でいかにこの働きが行われてきていたかについては、ケネス・リーチ『魂の同伴者』二章で詳しく述べられているので、ここではごく簡単に概略だけ紹介します。

紀元四～六世紀頃、キリスト教がローマ国教となり世俗化していく中で、純粋な信仰を保ち神により近づくことを求めた人たちがエジプトの砂漠で沈黙とソリチュード（独居）を中心とした祈りの生活を実践するようになりました。砂漠の師父・師母と呼ばれる人たちです。そして彼らを慕い、導きや助言を求めて多くの人たちが砂漠にやって来て、共同体を形成していきました。それがのちのカトリックの修道生活の原型となり、砂漠の師父たちが行なっていた霊的な指導が今日で言うスピリチュアル・ディレクションの原型になったと言われます。

ケネス・リーチは砂漠の師父が行なっていたことについて、次のように述べています。「霊的指導者は単に霊性に関する手法を教える人物というだけでなく、祈りと愛情と牧会的ケアをもって子どもたちの内的生活の形成を助けるひとりの父親であった[16]」。

スピリチュアル・ディレクションは、おもに熟練した司祭や長老が若い修道者の祈りの生活や召しや神の御心の識別を助ける形で、カトリック教会や東方正教会に受け継がれていきまし

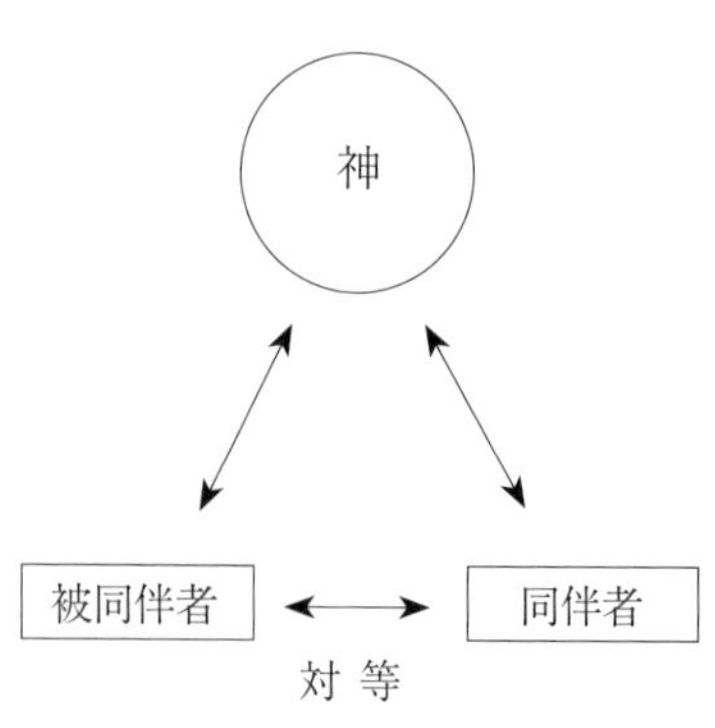

現代の霊的同伴

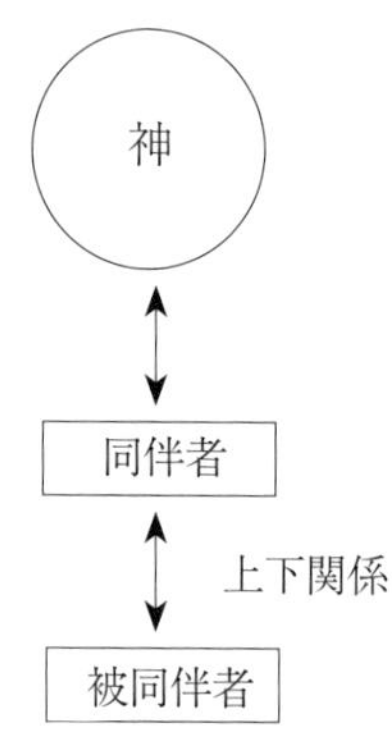

古典的霊的指導

た。第二バチカン公会議（1962－1965）までは、スピリチュアル・ディレクションとは聖職者だけが受けるもので、その形式もまさしく「霊的指導」という感じだったようです（図・古典的霊的指導）。たとえば一六世紀にイエズス会のイグナチオ・デ・ロヨラ（1491-1556）が開発した『霊操』[17]は、修道士の三〇日間にわたる祈りのリトリートにおける霊的指導のための教本として書かれたものでした。

しかし、聖職者だけでなく「すべてのキリスト信者が聖性と愛徳に招かれている」と宣言された第二バチカン公会議後、米国ではカトリックのリトリートセンターが各地に設立され、信徒もスピリチュアル・ディレクションを受けられるようになりました。さらにディレクションを行うことも、信徒に門戸が開かれるようになりました。そしてその方法も、それまでの指導的な形から、「同伴」という形をとるようになったようです（図・現代の霊的同伴)。日本でも、カトリックの人たちがこの働きを「霊的同伴」と呼んでいるのは、そのような変化を反映してのことだと思われます。

一九七〇年代頃から、米国において霊的形成を助けることを目的とする団体や霊的同伴者の養成を目的とするプログラムが設立され始めました。代表的なものにシャレム・インスティチュート(一九七三年創始 ティルデン・エドワーズ、ジェラルド・メイ)、霊的形成アカデミー(一九八三年創始 M・R・マルホーランド・Jr.)、レノヴァレ(一九八八年創始 リチャード・フォスター)などがあります。私が卒業したクリストス霊的形成センターでは、一九九一年から同伴者の養成プログラムを提供しています。

一九九〇年代に入ると、神学生教育の一環として霊的形成に重きを置く神学校が増え始め、神学生向けに霊的同伴が行われるところもあったようです。ただ、神学校で行われていたものは、古典的「霊的指導」の色のほうが濃かったかもしれません。カトリックでも最初は修道士向けだったように、プロテスタントでもまずは神学生の訓練の一環として取り入れられたのでしょう。

宗派を超えた広がり

霊的同伴の働きは、カトリックからプロテスタントへと広がっていっただけでなく、ユダヤ教、仏教、イスラム教、ヒンドゥー教など、他の宗教・霊性にも広がっていきました。先に述べた「霊性」の定義からすれば、驚くべきことではありません。もっとも、キリスト教からほかの霊性に広がっていったと言うよりは、ほかの霊性の伝統にも霊的同伴のような働きがもともと存在していたというほうが正しいのかもしれません。いずれにせよ、一九九〇年には、メリーアン・スコフィールドというカトリックのシスター（RSM）の主導により、さまざまな霊性の霊的同伴者たちのネットワークとして、霊的同伴者インターナショナル（SDI）が設立されました。現在、SDIには世界四二カ国から六千人以上の会員がいるそうです。

カトリック以外では、聖公会が霊的同伴を以前から積極的に取り入れてきました。すでに触れましたが、米国聖公会の司祭マーガレット・ゲンサーが著した『聖なる傾聴』[13]（1992 邦訳未刊）や、イギリスの聖公会司祭ケネス・リーチによる『魂の同伴者』[3]は、W・A・バリーとW・J・コノリーによる『スピリチュアル・ディレクションの実践』[2]（1982, 2009 以下『実践』と記す）などと並び、英語圏では霊的同伴についての代表的著作とみなされています。

福音派内での広がり

そして霊性への関心が高まる中で、霊的同伴は福音派の間でも徐々に知られるようになりました。二〇一〇年には福音派の霊的同伴者のネットワークである福音主義霊的同伴者協会（E

SDA）がアメリカで設立されました。現在では、霊的形成に関する学位プログラムはもちろん、霊的同伴の学びや訓練を提供する福音派の神学校も増えつつあるようです。神学校以外でも、霊的同伴者の養成プログラムが各地に起こされています。

また、福音派の間でも関連書物が出版されるようになりました。たとえば、ミネソタのベテル神学校で教鞭をとるジャネット・バッキ著『聖なる招き』[18]（邦訳未刊）やフラー神学校やカナダのリージェントカレッジで教鞭をとるスーザン・S・フィリップス著『ロウソクの灯』[19]（邦訳未刊）、カナダのアンブロース大学学長で組織神学と霊性神学を教えるゴードン・T・スミス著『スピリチュアル・ディレクション』[20]（邦訳未刊）などです。

霊的同伴と霊的友情

ここまでは、一対一の同伴を念頭において述べてきましたが、霊的同伴にはグループで行われるものもあります（第8章で詳述）。さらに、正式な同伴関係である一対一やグループでの霊的同伴とは別に、「霊的友情（スピリチュアル・フレンドシップ）」と呼ばれる、インフォーマル（決まった形式によらない）な同伴関係もあります。

霊的同伴と霊的友情は、その関係の中で起こること（先に霊的同伴の定義で述べたような、相手の生活の中で働く神の臨在に気づき、それへの応答を助けること）は本質的に同じだと言えますが、関係のダイナミクスに違いがあります。以下に両者の違いをいくつか挙げてみます。

①「霊的同伴」では、同伴する側とされる側の役割が固定されています。友人同士であれば、片方がつねに聞き役でもう片方がつねに話をする関係は不均衡であり、友人関係としてあまり良いものとは言えないでしょう。しかし霊的同伴では、同伴者は聞き役に徹します。双方が互いに同伴し合うのでなく、いつも片方がもう片方に同伴します。霊的同伴とは、そういう同意のもとで意図的に入っていく関係です。

また、霊的同伴者と被同伴者の関係は、霊的同伴に特化しており、ふだんから一緒に活動したり、食事に行ったり、といった関係は持ちません。これは、心理カウンセラーがクライアントと「多重関係」（専門的な関係以外に私的関係を持つこと）を持たないのと同じです。一方、「霊的友情」は、いわば互いに同伴しあう双方向の関係です。そして必ずしも、「これから私たちで霊的友情の関係を持つことにしましょう」と正式に決めることなく、自然とそういう関係になっていくことが多いでしょう。また、生活の別の場面でも友達同士、同労者などの関係を持つ場合が多いでしょう。

②「霊的同伴」は、相手の魂の状態に焦点を合わせた会話をするために、毎月一回一時間というように時間を決めて定期的に会います。場所も外からの雑音の入らない静かなところ

で行います。喫茶店などのような場所で行うことはありません。同伴者は、被同伴者が神に注意を払いつつ、思う存分自分の内面や自分の生活を振り返ることのできる、安全な場所を提供します。定期的に会うことのメリットの一つに、被同伴者に生活を振り返るリズムができることが挙げられるでしょう。たいていの人は忙しい日々を送っていますが、霊的同伴のセッションが毎月あると、いったんスローダウンして過去一か月間の神と自分の関係を振り返ることができます。それは、神との関係を深めるためのスペースを作る霊的修練の一つです。

一方、「霊的友情」は、もっと気さくな関係です。ときには一緒に食事やお茶をしながら、互いの霊的気づきを促すような会話をします。時間を決めて定期的に会う場合もあれば、そうでない場合もあるでしょう。また、霊的友情の関係をずっと続ける約束をするわけではなく、その関係には明確な始まりや終わりがない場合が多いでしょう。

③「霊的同伴」では、同伴する側は通常、霊的同伴者としての訓練を受けています。心理カウンセラーのように公的機関が発行する正式な資格はありませんが、何らかの訓練を受けている人によって行われる場合が一般的です。霊的同伴者としての倫理規程（後述）も学んでいます。また、同伴のセッションは英語圏では有料で行われる場合がほとんどのようです。

一方「霊的友情」は、双方とも正式な訓練を受けているとは限らず、いわば「信仰の友」として互いの霊的成長、成熟を励まし合う関係です。ただし、訓練を受けた霊的同伴者同士が霊的友情の関係を持つこともあります。

これらの違いは、霊的同伴のほうが霊的友情より重要で成熟した関係だという意味ではありません。また、前者はよりビジネスライクで、後者はもっと純粋だ、という意味でもありません。両者はただ、異なるダイナミクスを持つというだけです。

スピリチュアル・コンパニオン

英語では、霊的同伴と霊的友情の両方を合わせて「スピリチュアル・コンパニオン」という言い方がされることもあります（参照：David Benner, *Sacred Companions*）[21]。コンパニオンとは「仲間・道連れ・同伴者」という意味です。（スピリチュアル・コンパニオンを日本語に訳すと文字どおり「霊的同伴」になるので、英語の用語とその日本語訳がうまく対応していないため混乱するかもしれません。しかし、スピリチュアル・ディレクションが日本語で「霊的指導」ではなく、あえて「霊的同伴」と呼ばれるに至った経緯は、すでに述べたとおりです。）

日本のプロテスタントのクリスチャンは、そもそも霊的同伴者として訓練される機会が少ないので、信仰の友や恩師との関係、クリスチャン同士の夫婦など、霊的友情やメンタリング（先輩後輩）の関係にもっと馴染みがあると思います。それらは正式な霊的同伴とは区別されますが（参照：Gordon T. Smith, *Spiritual Direction*）[20]、スピリチュアル・コンパニオンとして私たちにいのちをもたらす重要な関係であることに変わりはありません。それは、本章の冒頭に引用したルース・ヘイリー・バートン（トランスフォーミングセンター創立者、ノーザン神学校非常勤講師、霊的同伴者）の言葉にあるように、「各人が持つ神への願いに互いに耳を傾け、その願いを互いの中に育み、その願いと一致する生き方を模索することにおいて互いに支え合う」関係です。たとえ訓練された同伴者から同伴を受けられなくても、信頼できる人との間に霊的友情を持つことは、すべてのクリスチャンにとって有益だと思います。私も、毎月会う霊的同伴者とは別に、霊的友情関係にある友が何人かいますが、彼女たちは私にとってかけがえのない存在です。

なお、前述の砂漠の師父のように、ときには信仰の先輩、成熟した信仰を持つ年長者が霊的メンターとして信仰の後輩の霊的歩みに折々に寄り添う場合もあると思います。その先輩が霊的同伴者としての正式な訓練を受けていないとしても、その人の行うことが実質上の霊的同伴である可能性は充分あります。また、神学校や宣教団体内などで、学生や職員の魂のケアの一環として霊的同伴が行われることもあるでしょう。

多重関係について

多重関係について、ここでもう少し触れておきたいと思います。日本のクリスチャンは英語圏に比べると人口が少なく、加えてSNSの広がりもあるせいか、直接の面識がない人とでも共通の友人がいるなど、何らかの横のつながりがある場合が少なくありません。特に牧師やミニストリー従事者となればなおさらです。そうなると、霊的同伴を依頼したくても、自分とまったく接点のない同伴者を見つけるのは非常に困難になります。そこで、教会が同じであるとか、同じ団体のスタッフ同士であるとか、日常的に交流のある知り合いなど、普段から何らかの活動を共にしている人を避けるのであれば、多少のつながりがある人と同伴関係に入ることは許容範囲内ではないかと思います。ただし、いったん同伴関係に入ったら、その人ととても気が合ったとしても、あえて意図的に、同伴関係外での交流は控える（SNSも含め）といいと思います。それは、同伴関係を聖なる安全なものに保つためです。

1 Ruth Haley Barton, *Sacred Rhythms: Arranging Our Lives for Spiritual Transformation*, IVP Books, 2006
2 William A. Barry & William J. Connolly, *The Practice of Spiritual Direction* (2nd Rev. Ed.), HarperOne, 2009
3 ケネス・リーチ『魂の同伴者』関澄子、関正勝訳 聖公会出版 二〇一四年
4 N・T・ライト『クリスチャンであるとは』上沼昌雄訳 あめんどう 二〇一五年
5 篠原明『「霊性の神学」とは何か』あめんどう 二〇一九年
6 Marjorie J. Thompson, *Soul Feast: An Invitation to the Christian Spiritual Life* (Newly Rev. Ed.),Westminster John Knox Press, 2014
7 C.S. Lewis, *The Weight of Glory*, 1941. 邦訳『栄光の重み』西村徹訳 新教出版社 二〇〇四年
8 M. Robert Mulholland Jr., *Invitation to a Journey: A Road Map for Spiritual Formation*, IVP Books, 1993
9 M・ロバート・マルホーランド・Jr『みことばによって形造られる』中村佐知訳 地引網出版『舟の右側』二〇一九年一一月号
10 ダラス・ウィラード『心の刷新を求めて』中村佐知・小島浩子訳 あめんどう 二〇一〇年
11 M. Robert Mulholland Jr. 前掲書
11 Marjorie J. Thompson 前掲書
13 Margaret Guenther, *Holy Listening: The Art of Spiritual Direction*, Cowley Publications, 1992
14 Sue Pickering, *Spiritual Direction: A Practical Introduction, Hymns Ancient & Modern Ltd*, 2008
15 Janet K. Ruffing, *Spiritual Direction: Beyond the Beginnings*, R.S.M.
16 ケネス・リーチ 前掲書
17 イグナチオ・デ・ロヨラ『霊操』門脇佳吉訳　岩波書店 一九九五年
18 Jeannette A. Bakke, *Holy Invitations: Exploring Spiritual Direction*, Baker Books, 2000
19 Susan S. Phillips, *Candlelight: Illuminating the Art of Spiritual Direction*, Morehouse Publishing, 2008
20 Gordon T. Smith, *Spiritual Direction: A Guide to Giving and Receiving Spiritual Direction*, IVP Books, 2014
21 David G. Benner, *Sacred Companions: The Gift of Spiritual Friendship & Direction*, IVP Books, 2004

第2章　霊的同伴を特徴付けるもの

霊的同伴に関してよくある質問に、霊的同伴とメンタリングやコーチング、牧会カウンセリングや心理カウンセリングといったほかの援助の働きはどう違うのか、というものがあります。もっともな質問であり、その違いを理解しておくのは、同伴者にとっても同伴を受ける側にとっても非常に重要です。

牧会カウンセリングは、牧会的ケアの一部として、信徒が抱える人生の諸問題の解決や心の傷の癒しなどをおもな目的とします。行う人は通常牧師などの教職者で、問題や苦悩を抱える人の話を聞き、共に祈り、寄り添い、聖書的な観点から助言や指導をし、相談者を励まします。

心理カウンセリングは、臨床心理士など資格を持った人によって行われ、精神面の問題やそこから派生する行動面の問題に悩む人の相談に乗り、傾聴や助言、また認知行動療法などのセラピーの技法を用いて、クライアントの癒しや回復をサポートします。

メンタリングやコーチングは、どちらも一対一の対話を通しての人材育成・成長支援の方法です。メンタリングは組織や職場などで、経験豊かな年長者・先輩が若年者や後輩と定期的に交流し、その人が置かれている状況で役に立つスキルや情報やノウハウを伝授し、また対話や助言を通して、その人自身の気づきを尊重しつつ人間的成長およびキャリア開発を支援します。コーチングは、目標達成や自己実現など、本人が目指す成果の実現を本人主導でできるように支援する働きで、コーチする人はその分野での経験や実績を持つとは限りません。

これらの働きは、それにかかわる人がどのような方針をもってそれを行うのかによって、霊的同伴と重なる部分も少なからずあると思います。そこで、これらの働きと霊的同伴の違いを強調するよりも、霊的同伴の特徴について述べたいと思います。

次にあげる特徴は、必ずしも霊的同伴だけに当てはまるものではなく、メンタリングやカウンセリングやコーチングなどでも同じ原則が用いられることはあるでしょう。一方で、これらの特徴のどれかが欠けることがあれば、「霊的同伴」と異なる援助の働きになるのではないかと、私は個人的には思っています。特に、メンタリングと霊的同伴は重なる部分もあるものの、異なる働きであることを強調しておきたいと思います。

特徴その１：同伴の目的

霊的同伴の目的は、その名が示すとおり、「同伴」することにあります。より成熟したクリスチャンになるための指導やアドバイス、訓練をすることではありません。内面の癒しや問題解決を目的とするものでもありません。人生相談でもありません。何らかの知識やスキルの習得でもありません。問題解決や心の癒し、新しいスキルや知識の習得といったことは、副産物として起こることはあっても、それ自体は霊的同伴の目的ではありません。

霊的同伴では、人が神に心を開き、神の臨在や働きに注意を向け、それに応答するようになっていくなら、癒しであれ問題解決であれ、その人に必要なことは、神がご自身のタイミング、ご自身の方法でなしてくださると信じます。そこで霊的同伴者は、前章での定義にあったように、被同伴者が、自分の人生・生活の中にある神のご臨在と働きに気づき、そこに注意を向け、応答するのを助けるのです。被同伴者と神との関係、親密さが深まるのを助けるために、その人の魂の旅路に寄り添い、思いやりともてなしの心を持って同伴します。

特徴その２：傾聴と沈黙

第二に、それが基本的に傾聴のミニストリーであることが挙げられます。傾聴とはどういうことでしょうか。相手と真摯に向き合って、相手の立場になって聴くこと、相手の言葉だけでなく、その背後にある心の真意にまで注意を払いつつ聴くこと、そしてそのために、自分の耳だけでなく、心も傾けながら聴くこと、と言えると思います。

霊的同伴では、「三つの耳で聴く」と言われることがあります。被同伴者の言葉と心に耳を傾け、聖霊の声に耳を傾け、自分自身の内なる声に耳を傾けるのです。

聖なる地

私が霊的同伴について学んでいるとき、指導者からこのように言われました。「被同伴者が同伴のセッションで分かち合ってくれることは、その人の魂から出てくるものであり、そこはいわば『聖なる地』です。霊的同伴者は、その聖なる地に土足で踏み込むようなことをしてはなりません。履物を脱いで、膝をかがめてそこに入らせてもらうのです。分かち合われるものは、その人の魂から出てくる宝のように大切なものですから、同伴者は注意深く大切に扱わなければなりません」。

このように、被同伴者が分かち合ってくださるものを大切な聖なるものとして、心を込めて耳を傾けます。話を聞いているあいだは、自分が話す番が来たら何と言おうか、といったことは考えません。極力、相手の話をさえぎりません。また、大切な宝物を分かち合っていただくのですから、それをよそでしゃべるようなことは絶対にしません。厳格な守秘義務が伴います。

セッションでは被同伴者に好きなだけ話してもらうのですが、沈黙が流れることも多々あります。通常の会話なら、一人が言葉をとめたら、次に相手が話し出すものです。けれども霊的同伴では、被同伴者が言葉を止めたからといって、すぐに同伴者が話し出すことはありません。霊的同伴における傾聴では、沈黙を大切にします。

聖霊に耳を傾ける

耳を傾けるのは被同伴者の言葉だけではありません。聖霊の語っておられる声にも耳を傾けます。霊的同伴で沈黙を大切にするのはそのためです。被同伴者が口をつぐんでしばらく沈黙するとき、同伴者は慌てて言葉を出さず、しばらく待ちます。その沈黙は、聖霊が被同伴者に何かを語り、何かを思い出させているときかもしれないのです。それをじゃましてはいけません。沈黙が続くときは、同伴者もまた聖霊に耳を傾けます。聖霊が同伴者に語ることにも注意を払います。霊的同伴では、言葉が止まり沈黙するときも、語り合っているときと同じくらい大切な時間です。

人の話を聴くときは、何か気の利いた返事をしたい、相手の助けになるような洞察のある賢明な言葉をかけたい、と思いがちです。しかし霊的同伴では、そのような自分の願いも脇に置きます。そういう願いを持ちながら聴くと、相手の話に集中できなくなるからです。話を聴き終わったのち、何と言ったらいいのか分からないときも多々あります。しかし語るべき言葉、問いかけるべき質問は聖霊が与えてくださると信頼します。何も言うことが与えられなければ、そのとき神がなさろうとしておられることは、沈黙の中で聖霊ご自身がなしとげてくださるのだと信頼します。実際、長い沈黙が続くこともあります。沈黙が続くと気まずい気がして、何か言わなければと思いがちですが、自分の気まずさからその沈黙を破らないようにします。

同伴者が語る百の言葉よりも、聖霊は沈黙を通してさらに豊かに働くことのできるお方です。すでに相手のためにとりなし、その人の中で働いておられる聖霊に信頼し、言葉を急がず、静かに待ちます。

自分の内なる声を聴く

ときとして、被同伴者の話を聴きながら、同伴者自身の中にある種の感情や反応が湧いてくることがあります。同伴者もまた自分の霊的旅路を歩む一人の巡礼者なので、被同伴者の話が引き金となって自分の問題が疼(うず)き出すこともあります。

これは私の同伴者仲間がピアスーパーヴィジョン（同伴者同士のスモールグループ　五章で詳述）で語っていたことですが、彼女の被同伴者がある治療をしていて、その中での葛藤やチャレンジについて聴くことがあったそうです。この同伴者自身も同じ治療の経験者で、被同伴者の話を聞きながら自分がかつて悩んでいたときを思い出し、相手の状況に共感すると同時に、当時の痛みがよみがえってきたそうです。

同様の体験があることで相手の話により深く共感できるのは素晴らしいことです。しかし相手が取り扱おうとしている問題に自分の体験や反応を投影してしまうと、その人に対して神が語っておられることを聴き分けられなくなります。ですから同伴している最中は、自分のそういった反応には一時的に蓋をして、あくまでも被同伴者の話に集中しなくてはなりません。同伴者が同伴セッションで自分の内なる声に注意を払うのは、そこに洞察を見出すためではなく、自分の内なる声が被同伴者や聖霊の声を聴くことをじゃましないようにするためなのです。

霊的同伴における傾聴を学ぶのによい文献として、『よい聴き手になるために―聖書に学ぶ相互ケア』[1]（蔡香）があります。これは、霊的同伴に特化した本ではありませんが、同伴のミニストリーに関心がある人にとって必読書と言えるでしょう。

特徴その3：対等な関係

霊的同伴の第三の特徴は、霊的同伴における同伴者と被同伴者の関係は、共に霊的旅路を歩んでいる者（巡礼者）同士として対等であることです。牧会カウンセリングのように「牧師（教職者）」と「信徒」ではなく、メンタリングのように「先輩」と「後輩」といったものでもありません。教師と生徒のような上下関係や力関係はありません。対等です。

ただし、そうは言っても旅行でガイドにツアーの同伴をしてもらうときは、その場所をよく知っている人に頼むものです。助産婦は赤ん坊が生まれるプロセスを熟知していて、初めてお産に臨む人をうまく助けることができます。ガイドも助産婦も、助けを必要としている人より偉いわけではなく、上下関係や力関係はありません。ただ、その役割をするために整えられており、必要なリソース（資源）と経験を持っています。霊的同伴者も同じです。同伴者と被同伴者はどちらが上ということはありませんが、同伴者はこの働きをするために整えられ、必要なリソースと経験を持っています。

神を指し示す

霊的同伴における真のディレクター（指導者）は聖霊であり、霊的同伴者と被同伴者は、横にならんで一緒に聖霊の導きに耳を傾けます。指導的関係ではないにもかかわらず、スピリチュアル・ディレクション（文字どおりには「霊的指導」）という言い方が好まれるのは、「ディレクション」には「指導」という意味と同時に、「方向・方角」という意味もあるからです。ディレクトするとは、「指導する」という意味のほかに、「方向を示す、道を指す」という意味もあるのです。スピリチュアル・ディレクションにおいて、ディレクション（指導）を与えるのは聖霊であり、同伴者の役割は、被同伴者を真のディレクター（指導者）である神のもとにディレクトする、つまり方向を示すことです。霊的同伴者は、その意味でのディレクター（神を指し示す人）なのです。

特徴その４：祈り

第四の特徴は、霊的同伴は祈りに満ちていることです。同伴者は祈りをもって自分を整え、祈りをもって被同伴者が分かち合ってくれることを受け止めます。そのためにも、同伴者は普段の自分の歩みの中で祈りの生活を持っていることが必要です。

同伴者だけでなく、被同伴者も、何らかの形で祈りの生活を持っていることが前提となります。ただしそれは、必ずしも毎日ディボーションをしているとか、毎週祈祷会に参加するといった意味ではありません。神の存在を信じ、神に向かって語りかけ、また神からの語りかけを受けることに対してオープンであり、それを求めている、という意味です。

神に思いを向ける

クリスチャンの深層心理学者デイビッド・ベンナーは、「祈りたいという願いもまた、祈りである」[2]と言いました。フランスの哲学者シモーヌ・ヴェイユは、「祈りとは神に注意を向けること」だと言ったそうです。つまり、神に私たちの思いを向け、神への切望を持つことそのものが、すでに祈りになりえるということです。ですから、祈りの生活を持っているかと問われたとき、「私はあまり祈っていない」と躊躇(ちゅうちょ)してしまう人であっても、神に思いを向けている、思いを向けたいという願いはあるという人であれば、霊的同伴を受けることは助けになると思います。自分では祈りだと意識していなかったことがじつは祈りであり、自分で気づいていなかったけれど、神は私の求めに答えてくださっていた、と気づくのを手伝うのが霊的同伴でもあるのです。

霊的同伴で分かち合われることは、いろいろな次元でのその人と神との関係であり、それはしばしば祈りを通して、また祈りの中で体験されるものです。そのため、霊的同伴で分かち合われることも、その人がどのように祈り、その中で神をどのように体験しているかということが多くなります。また、神との関係を深めるのを助けるために、同伴者が被同伴者にとっての新しい祈り方を分かち合うこともあるでしょう。

同伴のセッション自体が祈り

霊的同伴が祈りに満ちているとは、同伴のセッション自体が、同伴者と被同伴者が共に神に捧げる祈りだ、という意味でもあります。同伴のセッションで持たれる会話にイエスをお招きし、語っておられるイエスの御声に共に耳を傾けるからです。

セッションを始めるにあたり、聖霊をお招きし、私たちの会話を導いてくださるよう祈り求めます。そして相手の話を聴きながら、今その場で、その人のためにとりなしてくださっている聖霊の御声を聴くことができるよう求めます。同伴のセッション自体は堅苦しいものではなく普通の会話のようですが、その会話自体が祈りとして神の前に捧げられていると自覚するとき、このセッションを通して自分たちが聖なる領域に招かれていることに気づくでしょう。

さらに霊的同伴者は、自分が同伴している相手のためにふだんから祈ります。このように、霊的同伴は祈りに満ちているのです。

特徴その5：信頼

五番目の特徴は、霊的同伴の根底にある信頼です。それは、私たちを導いておられる神への信頼であり、同伴関係における互いに対する信頼です。

聖霊の臨在と導きに信頼する

まず、同伴者および被同伴者は、真のディレクターである聖霊がそこにおられ、自分たちの会話に耳を傾け、それを導いてくださっていることに信頼します。会話の流れがどうなるか、それは予測不可能ですし、同伴者は自分が良いと思う方向に誘導したりしません。聖霊に信頼しつつ、誠実に会話します。同伴者が、「今日はこのように導こう」というように事前の準備をすることはできません。同伴者がなすべき事前の準備は、聖霊にオープンであることができるよう、自分の心を静め、整えておくことです。

また同伴者は、自分が被同伴者に語るべき言葉、問いかけるべき質問は、聖霊が示してくださると信頼します。自分の知恵や知識や経験に頼り、それを当てはめようとすると、逆に相手の現状がはっきり見えなくなることがあります。私は今でもそうですが、始めたばかりのころは特に、お話を伺ったあと、いったい何を言えばいいのだろうと、しばしば緊張したものでした。しかし、不安を軽減するためにセッションの流れを自分でコントロールしようとするのでなく、聖霊が導き、示してくださると信頼することが大切です。主はすでに被同伴者の人生で働いておられるので、その神の働き、被同伴者に対して神が持っておられる願いに耳を澄ますのです。

一方被同伴者が、セッションの前に過去一か月間を振り返り、分かち合いたいことを考えておくのは良いことです。実際の会話は自分が期待していた方向と違う方向に進むかもしれません。それでも、被同伴者もまた聖霊の導きに信頼し、セッションを通して聖霊が語りかけておられることに心を開きます。セッションの最中には、これといって得られるものがなかったと感じることがあるかもしれません。しかし聖霊の臨在と導きは、セッションの最中だけに限定されるものではないのです。セッションが終わったあと、さらに思い巡らしを続ける中で、聖霊が何かを示してくださることも少なくありません。

互いに信頼する

さらに同伴者は、被同伴者が神との関係を深めたいという真摯な願いを持って同伴の場に来ていると信頼します。被同伴者も、同伴の場が、また同伴者との関係が、安全であると信頼してやってきます。霊的同伴では、被同伴者は自分の内面で起こっていることや心に留まっている出来事、神体験など、ある意味とてもプライベートなことを分かち合うからです。とはいえ、同伴関係が始まったばかりのころは、この関係が本当に安全なものであるか、すぐには信頼できないかもしれません。そこで同伴者は、同伴の場が安全なものとなるよう次のことを心がけます。

特徴その６：安全な場

ありのままを受け入れる

同伴の場を安全なものに保つために、被同伴者が分かち合うことについて同伴者はいっさいのジャッジメント（価値判断）をしません。つまり、さばかない、批判しない、決めつけない、相手に恥ずかしい、責められていると感じさせるような反応をしない、ということです。

被同伴者は、絶えず感謝する、怒らない、自分を傷つけた人のことを赦すなど、クリスチャンとして正しいことを言わなくてはならない、正しくふるまわなくてはならないと感じているかもしれません。そこで、たとえ不信仰に見えても、自分の正直な思いを語ってかまわないのだと被同伴者に伝わるように、同伴者は自分の反応や応答の仕方に気をつけます。

それと同時に、同伴者は相手が正直になるよう強要することもしません。模範解答に聞こえることを被同伴者が語ったとしても、それが本音ではないだろうと決めつけるような反応もしません。ただ安全な場所を作って、その人の心の奥にある真実な思いが自然と出てくるのを待ちます。

パーカー・パルマーは、人の魂についてこのように言いました。

> 魂とは、野生動物のようだ。強く、回復力があり、しっかり者で、自立していて、それでいて非常に恥ずかしがり屋でもある。野生動物を見たければ、「出て来い！」と叫びながら森に突入するなどもってのほかである。しかし、静かにそっと森の中に入り、木の根元に黙って一、二時間座っているならば、会いたいと思っていた野生動物は、もしかしたら出てくるかもしれない。そして、私たちが探していた貴重なありのままの姿を、目の端で見ることができるかもしれない。[3]

同伴者は、被同伴者の魂にいのちと力を与えておられる主に信頼します。同時に、魂の傷つきやすさも認め、急かさず、時間をかけて被同伴者と向き合います。ただし同伴者と被同伴者の間に充分な信頼関係が築かれており、聖霊の導きを感じるならば、ときには突っ込んだ問いかけや指摘をすることもあるでしょう。

守秘義務

同伴のセッションを安全な場所とするために留意すべきもう一つのことは、守秘義務を守ることです。これはほかの援助の働きでも同じでしょうが、霊的同伴も例外ではありません。セッションの中で分かち合われることを誰にも言わないのは当然のこと、自分が誰の同伴をしているかさえも他の人に言いません。被同伴者自身が、自分が誰から同伴を受けているか、また同伴のセッションの中でどんな会話をしたかを他者に話すのは、本人の自由です。しかし同伴者がそれを話すことはありません。

例外は、カウンセリングと同じように、被同伴者が自分や他者を傷つける可能性があることを示唆した場合、および同伴者がスーパーヴィジョンを受けるときです。これについてはのちほど、霊的同伴の倫理の章で触れます。

ともあれ同伴者は、同伴関係が安全なものに保たれるように、徹底して守秘義務を守ります。

魂をもてなす

デイビッド・ベンナーは、「魂をもてなす」ことについて、次のように述べています。

魂をもてなすとは、安全さを差し出すことでもあります。この人は安全な人だと信頼しきって、自分の言葉を選んだり、心にある思いの善し悪しを考慮したりすることなしに、

> 正直に、ありのままの自分をさらけ出しても大丈夫だと感じられるとしたらどうでしょうか。この人は、私の言葉や思いのうち、受け止める価値のある部分は大切に受け止め、それ以外のものは、優しさという吐息で吹き払ってくれるだろうと信頼できるとしたら。
>
> ……魂の友情とは、批判されたりあざけられたりすることを恐れずに、何でも分かち合える場所を提供することです。それは、仮面や取り繕いが取り除かれ、脇に置かれる場所です。それは、最も深い秘密、最も暗い恐れ、最も敏感に恥を感じる部分、最も心を乱す問いや不安を、安心してさらけ出せる場所です。それは、恵みの場、つまり、その人が将来こうなるだろうという姿のゆえに、現在の姿がそのまま受け入れられる場所です。[4]

ベンナーは、霊的同伴や霊的友情とは魂をもてなすことであると言い、それをこのように説明したのです。魂のもてなしである霊的同伴では、そこが安全な場であることが不可欠です。それは、聖霊が相手の人生の中で働いておられると信じることでもあります。その人は「神に愛されている者」であり、神の霊はその人の中で絶えず働いておられ、義の道へ、愛の中へと導いておられるのだと信じることでもあるのです。癒しも回復も成長も変容（トランスフォーメーション）も、すべてその安全さと恵みの中でのみ起こりうるのではないでしょうか。

特徴その7：観想的霊性

七番目の霊的同伴の特徴として、そこに流れる「観想的な霊性」があると私は思っています。観想的な霊性とは、私たちのbeing（存在・あり方）、祈り、そして神とのつながりにかかわるものです。

内面と気づきに注意を払う

観想的霊性の中心には、私たちを愛しておられる善い御父である神への深い信頼と、その信頼ゆえに自分のやり方やアジェンダ（こういうふうにしたいと心に秘めた計画や予定）を手放すこと、そして神への明け渡し（神がくださるもの、なさることへの同意）があります。観想的態度は、自分が感じていることや願っていること、喜びや悲しみや痛みなど、自分自身の内面にも注意を払います。

また、あらゆる状況の中にインマヌエルなる神の臨在を見出すことを求めます（これは、神と世界を同一視する汎神論や、すべてのものは神の内側に存在すると考える万有内在神論と異なります）。見出すというより、気づく、注意を払うと言うほうがいいかもしれません。神は私たちから遠く離れたところにいるのでなく、私たちと共におられ、すでにご自身のお働きをなさっておれるので、その神に気づき、注意を向けるのです。

静まり

多くの場合、それは沈黙・静まりを大切にするという形で現れます。霊的同伴のセッションの中での沈黙もそうですし、同伴者個人の普段の生活の中においてもそうです。トラピスト会司祭のトーマス・キーティングは、このように言いました。

> 沈黙こそ、最も偉大な教師です。心の内なる静まりは、愛や他者に対するケアや神のみこころへの明け渡し、またあらゆる状況における神への信頼といった実を結びます。それは、自分の最も深い部分から生きることが結ぶ実です。心の内側にある観想的なスペースから生まれてくる実です。そのスペースからは、自分の外側の出来事や他者、それらに対する自分の反応によって簡単に揺らがされることのない平安が生まれます。
>
> それはあなたがどんな環境にあっても、安定をもたらす力となる平穏さです。神は、今ここで、あなたがしあわせであることに必要なものをすべて与えてくださっています。状況的な証拠がどれだけそれに反するものであってもです。良い霊的同伴者は、その信頼を維持することを助けてくれます。[5]

この引用を初めて読んだとき、私が霊的同伴者となるための講座を受講していたときに聞いたあるエピソードを思い出しました。それは、その講座の卒業生たちが卒業後、どんな働きをしているかを紹介するフォーラムでのことでした。

霊的同伴者になるための講座を修了したからといって、すべての人が同伴の働きに入っていくわけではありません。皆、さまざまな道に導かれていきます。そのフォーラムで特に印象に残った女性は、おそらく六〇代前半くらいだったでしょうか。二年間の同伴の学びを終えたあと、なんとアップルストアでパート勤務を始めたそうです。iPhoneやMacBookなどの販売店です。そこで働く人たちはＩＴ関係が得意でしょうが、その女性は技術的なことはまったく分からず、事務員として雇われました。店は若い人たちでにぎわい、仕事のペースが早く、いつもガヤガヤしているような職場です。

静かな場所が好きだった彼女は、「自分は何と不似合いな場所で働いているのだろう。なぜこの職場に導かれたのだろう」と思っていたそうです。そんなある日、若い同僚の一人が、彼女にこう言いました。「私は、仕事をしているときパニックしそうになったら、振り返ってあなたを見ることにしているの。あなたを見ると、いつも心が落ち着くから」。

この女性は、若い同僚に助言をしたり、話を聞いてあげたりしていたわけではありません。ただ自分の仕事をしていただけでした。しかし彼女の存在そのものが、その職場にあって静かな平安のある場所となっていたのでしょう。彼女は、霊的同伴者になるための学びを通して自分の中に培われた霊性が、「思いがけずこのような形でほかの人に影響を与えたのかもしれない」と言っていました。彼女が受けた講座は、知識やスキルの習得以上に、観想的霊性の養いに重きが置かれていたからです。

これを聞いたとき、私もまた自分が遣わされている場所において、たとえば家庭の中で、このように周囲の人に安心と平安をもたらす存在であれたらと思いました。それまでの私は、すぐに家族をせかしたり（「早く、早く！」）、あれこれ心配したり（「大丈夫なの？　どうするの？」）、混乱したりで（「どうしよう、どうしよう！」）、安心と平安からはほど遠い存在でした。けれども、霊的同伴の講座を通して学んださまざま祈りや静まりのリズムをつくる習慣は、少しずつ私の中に浸透し、この女性のように平安の基となるにはほど遠いものの、わずかながらでも私を変えつつあることを期待しています。

旅路の景色を味わう

私たちの社会は、教会も含めて、往々にして機能性が重視されるように思えます。結果を出すこと、しかも効率的に目に見える結果を出すことが、しばしば評価の基準となります。機能性が劣っているように見える（つまり多数派の基準にあわない）と、「障害」があると言われます。機能面での援助ももちろん有益ですが、観想的な霊性は、被同伴者の機能性より関係性や内面で起こっていることに注目します。

言い方を変えれば、その人が歩んでいる霊的旅路の中で、今見ている景色をいかに観るか、いかに味わえるようになるかが霊的同伴の関心事だとも言えます。そしてそれは、そこにおられる神に気づくところから始まります。そのためには、A地点からB地点まで最短距離を駆け抜けるのでなく、静まり、スローダウンすることが大切になってきます。

観想的な霊性は霊的同伴において大切なことなので、次章でもう少し詳しく述べます。

1 蔡香『よい聴き手になるために：聖書に学ぶ相互ケア』いのちのことば社 二〇一六年（ODP*で入手可能）
2 David G. Benner, *Opening to God: Lectio Divina and Life as Prayer*, IVP Books, 2015
3 Parker J. Palmer, *Let Your Life Speak: Listening for the Voice of Vocation*, 1999『いのちの声に聴く：ほんとうの自分になるために』重松早基子訳 いのちのことば社 二〇一四年
4 David G. Benner, *Sacred Companions: The Gift of Spiritual Friendship and Direction*, IVP Books, 2004
5 Thomas Keating, Summer 1997, Part II lecture notes. https://bonnieweaver-miller.com/what-is-spiritual-direction

＊ODP＝オンデマンド印刷

第3章　観想的霊性について

最短距離では到達できない神の目的

何年も前、子どもたちを連れてカリフォルニアを車で旅行していたときのことです。ロサンゼルスからサンフランシスコまで行こうとしていました。目的地に行くには直線で北上する高速道路を使うのがいちばん早いのですが、海岸線に沿った景色の美しいルートもあり、夫はあえて時間のかかるそちらの道を選びました。子どもたちに美しい景色を見せてあげたかったからです。ところがドライブが始まると、子どもたちは後部座席で折り重なるようにして寝入ってしまいました。そしてときおり目を開けると、「もう目的地についた?」と聞き、まだだと知ると再び眠ってしまうのでした。見晴らしのいい場所に車を停めても、子どもたちは降りてこようとせず、車の中で携帯電話をいじっていました。

何ともったいないことでしょう！　このドライブの目的は、ただサンフランシスコまで移動することではなく、そこに至るまでの景色を味わい、道中の楽しさを体験してもらうことでもあったのです。

では、霊性においてはどうでしょうか。霊的同伴では霊性を旅路とみなすと指摘しました。旅路であるなら、そこには行き先があるでしょう。何らかのゴール、目的地があるでしょう。クリスチャンにとっては、それは神との関係を深め、キリストに似たものに変えられていくことです。この旅路は、神の愛を受け取りながら、神と隣人とをより深く愛する者へとなっていくことです。この旅路は、行き先も分からないままに闇雲に進むものではありません。しかし旅路とは、到達点だけに価値があるものではないのです。そこに至るまでの道のり全体に価値があります。それ全体に意味があり、道のり全体がいわば目的です。

ですから最短距離でいくとか、効果的に最速でゴールに到達するといった目標は、霊的旅路において意味をなしません。この旅路では、回り道も、道に迷うといったことも含め、道のりのすべてに価値があるからです。回り道にも、迷子になったかのようなときも、そこに神はおられるからです。

世の中の働きは、その多くが目的主導だと思います。目的やゴールを設定し、それに到達することを目指します。その達成度は多くの場合、形にしたり、数値化したりできます。数値化すれば評価もしやすく、達成度がはっきり分かるほうが励みにもなります。私たちは成長過程の中で、学校でも職場でも、それを当然の生き方としてきました。生産的な生き方をするために、そのようなやり方が推奨されてきました。書店に並ぶビジネス書や自己啓発書を見ると、まさにそのようなタイトルが並んでいます。実際、ゴール設定や目的達成は重要なことです。

しかしながら、目的主導がときには神のご計画のじゃまになる場合があることを、中村穣牧師が『信じても苦しい人へ』[1]という著書の中で、興味深い例話を引いて指摘しています。その例話では、神が池袋にいる人に「上野に行く山手線に乗りなさい」と命じます。その人は上野に行くことをゴールに設定して山手線に乗り込みました。彼は途中の駅で苦しそうにしているホームレスの男性を見かけたのですが、寄り道するとゴール達成が遅れるため、途中下車はしませんでした。すると上野に着いたとき、神がこの男性に言われたのです。「なぜ途中下車をしなかったのか。わたしはホームレスの男性に会わせるために、上野行きの山手線に乗りなさいと言ったのに」

また、どうして神は私にこんな遠回りをさせるのかと感じるときがあります。袋小路、ただの無駄足、逆戻りと感じるときもあります。神がご自身の目的を持ってそのように私たちを導かれたのかもしれません。あるいは、私たちが神に聞かずに突っ走ったためにそうなったのかもしれません。いずれにせよ、回り道に思える中でも、神は私たちに語り、何かを見せ、慈しみをもって私たちに触れ、贖(あがな)うことのできるお方です。

自分の計画が中断された、じゃまが入ったと感じるときこそ、あるいは大失敗をして打ちひしがれるときこそ、神の豊かな招きがあります。霊的旅路の醍醐味は、自分が通っている道のりのただ中におられる神を観て、神と共にその景色を味わい、そこで神がなさっていることに参画することだと言えるでしょう。そこにおける同伴者の働きは、第一に神を「観る」ことを助けることです。それを、「観想的」な姿勢を養うことを助ける、と言ってもいいでしょう。

「観想」とは

それでは、「観想」とはどういう意味でしょうか。「観想」という言葉を辞書で引いてみると、「①仏語。特定の対象に向けて心を集中し、その姿や性質を観察すること。観念。②そのものの真の姿をとらえようとして、思いを凝らすこと」（小学館デジタル大辞泉）となっています。

仏語というのは仏教用語という意味ですが、この定義を見て、最近流行りの「メディテーション（黙想）」や「瞑想」や「マインドフルネス」と似ていると思われる人もいるかもしれません。近年、瞑想やマインドフルネスが心身の健康にもたらす良い影響が注目されてきて、ストレス軽減や集中力向上などのために用いられています。社員研修に導入している企業もあるようなので、すでに実践している人もいるでしょう。

しかしキリスト教の文脈で言う「観想」は、単なるストレス解消法や集中力やパフォーマンス向上のための技術ではありません。こう考えれば願いがかなうという、いわゆる「引き寄せの法則」とも違います。キリスト教の伝統における「観想」は祈りです。そしてその祈りの対象は世界の造り主であり、私たちを愛しておられる聖書の神です。

観想は、「観て」「想う」と書きます。つまり、神を観て、神を想うことです。思いを神に向け、そのお姿や性質を観ることです。そしてこの「観る」とは、科学者が研究対象を観察するような客観的な見方ではなく、むしろ愛する人の一挙手一投足をじっと見つめるようなイメージです。その人の気持ちも、考えていることも、好みも、癖(くせ)も、その人にかかわるすべてを知ろうとしてじっと見つめる、心を奪われ、我を忘れるまでにじっと見つめる、そんなイメージです。

聖書に出てくる観想

また、「観想」を英語ではcontemplationと言います。これはconとtempleの複合語で、conはwith（「共に」）を意味し、templeは「宮、神殿」です。神殿とは神の臨在のある場所です。ということは、contemplation（観想）とは「with God」、すなわち神と共にいることを示唆します。ダビデは言いました。「一つのことを私は主に願った。それを私は求めている。私のいのちの日の限り、主の家に住むことを。主の麗しさに目を注ぎ、その宮で思いを巡らすために」（詩篇27・4）。目を注ぐ、これぞまさしく観想です。「目を注ぎ」の部分はヘブライ語でハザー（châzâh）といい、その意味は「じっと見つめる、喜びをもって凝視する」です。

六世紀末のローマ教皇グレゴリウス一世は、「観想」を、「ただ神のみに対して、心を込めた注意を向けること」と説明したそうです。あれこれ考察したり分析したりするのでなく、ひたすら神を見つめ、神の愛を味わうのです。バリーとコノリーは、観想とは、自分が見つめている（観想している）対象以外のすべてのものを、自分自身も含め、すっかり忘れてしまうという超越の体験であると言いました。座禅のように意識を無にすることと似ていると思えるかもしれませんが、無にするというよりはむしろ、神の愛に包まれ、喜びで満たされることです。バリーとコノリーは、このようにも言っています。「神を観想するときは、私たちの思う神を投影するのでなく、ありのままの神を見せていただくよう求める。そして私たちも、神の御前でありのままの自分であろうとする」[2]。

なお、読者の皆さんにはおそらく、「観想」より「黙想」のほうが馴染みがあるでしょう。両者の違いは、「観想」は沈黙のうちにただ神を見つめ、神の愛を味わうことであるのに対して、「黙想」はみことばなどを口ずさみ、反芻するように思いを巡らすことです（参照　詩篇1・2）。

観想的な生き方

「観想的な生き方」というと、仙人のような、禅僧のような、山奥やお寺、修道院や祈祷院にこもってひたすら祈りとみことばの黙想に専心する生き方を連想するかもしれません。確かに観想的な生き方とは、あらゆることの中に神の臨在を見出し、そのお方を見つめることを求めます。そこには静けさ、静謐(せいひつ)さがあります。しかしそれは、世俗社会から引きこもって独居生活を送ることを意味するのではありません。

ある概念を理解するとき、その概念の反対は何なのかを考えるとその概念がより理解しやすくなることがあります。では、「観想的」の反対の概念は何でしょうか。

観想的な霊性は静まりを大切にするので、その反対は「活動的（active）」だと思うかもしれませんが、そうではありません。観想的の反対は、「衝動的（compulsive）」または「反応的・反射的（reactive）」です。衝動的・反射的とは、何かを見たり、聞いたり、されたりしたときに、一呼吸置くことなく、考えもせずに反応することです。相手のちょっとした言葉に、自分のことを言われているのではないかと、つい喧嘩腰になったり、物事に早急に何らかの評価・判断をくだしたり、思い込みで怒ったりすることです。「よく考えずに反応してしまった」「がまんできずに、ついやってしまった。言ってしまった」という経験は、誰しも覚えがあるのではないでしょうか。

衝動的・反射的反応

もう何年も前のことになりますが、こんなことがありました。米国のキリスト教系のメディアに、ユージン・ピーターソンという著名な牧師が同性愛婚を支持する発言をした、というニュースが流れたのです。インタビューで「クリスチャンの同性愛者のカップルに結婚の司式をしてほしいと頼まれたら、承諾しますか?」と問われたとき、ピーターソンは一言、「はい」と答えたという報道でした。するとその一言が引き金となり、その報道が流れてわずか数時間後には、英語圏のＳＮＳ（インターネット上のコミュニティー）は、彼を批判するクリスチャンたちと支持するクリスチャンたちの間で、「炎上」状態となったのです。

ＬＧＢＴＱを巡っては、日本でもそうでしょうが、アメリカでも強い意見を持つ人たちが二つに分かれがちです。ピーターソンは有名な牧師なので、彼の発言に影響力があるからでしょう、ＬＧＢＴＱの擁護者はここぞとばかりにピーターソンを賞賛しました。一方保守的な人たちは、「ピーターソンは信仰を捨てた、聖書を捨てた」と大いに批判しました。その翌日、ピーターソンは自分の発言を撤回すると発表しました。するとその撤回表明を受け、再び英語圏のクリスチャンの間で賛否両論が飛び交いました。大勢の人たちがわれ先にと自分の意見を述べ立て、ピーターソンの「はい」という一言、また翌日の撤回をもとに、瞬時に「是」か「非」かのレッテルを貼ったのです。

この状況を見たある人は、このように言いました。「この事態が指し示すものは、ＬＧＢＴＱ問題云々ということではない。英語圏のクリスチャンたちが、今やいかにゆっくり思い巡らすこともなく、感じたことを突発的に述べたがる、せっかちな人々の集団になってしまったかという、悲しむべき現実だ」と。なんと身につまされる出来事でしょう！　このSNSでの人々の様子は、典型的な「衝動的・反射的」反応です。自分が耳にしたことに刺激され、ただちに評価を下すのです。

ありのままを観て受け取る

観想的な姿勢では、ジャッジメント（価値判断、さばき、決めつけ）なしに、物事をあるがままに観ます。そこで起こっていること、そこにあるものを、良し悪しの判断を抜きに、まずそのままで受け取ります。そしてそこにおられるイエスを探し、見つめ、その状況の中で語りかけておられるイエスの御声に耳を澄ませます（それは往々にして、「かすかな細い声」［1列王19・12］でしょう）。そして、そこに注がれているイエスの愛のまなざしを受け取ります。

イエズス会には、「すべてのものの中に神を見出す」というモットーがあります。ノーウィッチのジュリアンという一四世紀のイギリスの神学者・隠修女は、「Await, Allow, Accept, Attend（待つ、なるがままにさせる、受け入れる、注意を払い応答する）」という四つの心の姿勢を修道会のモットーとしていました。キリスト教霊性の著作で世界的に知られるヘンリ・ナウエンには『いま、ここに生きる』[3]という題名の著作があります。これらはどれも、観想的な姿勢を表すものだと言えるでしょう。

私たちの社会では一般的に、物事を瞬時に判断し評価を下せる人は頭がいいと思われがちです。そのため私たちは、すぐに判断し評価する習慣がついているかもしれません。そうするように訓練されてきたかもしれません。また、ニュースや情報を聞けば、どうしても心が何らかの反応をするでしょう。しかし、そのような評価や判断をすぐさま口に出したり行動に移したりする前に、いったん心に納めて思い巡らすならどうなるでしょうか。ちょうど、イエスの誕生後に御使いや羊飼いの訪問を受けたマリアが、「これらのことをすべて心に納めて、思いを巡らし」た（ルカ2・19）ように、また姦淫の場で捕らえられ、皆に責め立てられる女性に対して、イエスがそうであったように（ヨハネ8・6）。

現代の忙しい人たち

ヘンリ・ナウエンは、『心のあり方』[4]（邦訳未刊）という本の中で、次のように書いています。

私たちの日々の活動をちょっと見てみましょう。だいたいにおいて、私たちは大変多忙な人たちです。たくさんの会合に出席し、いろいろなところへ出かけ、多くの働きを導きます。カレンダーには予定がびっしりとつまり、毎日、毎週、やることがたくさんあります。一年を見渡せば、計画とプロジェクトが目白押しです。するべきことが特にない、といった期間はほとんどありません。そして、私たちはあまりにも注意散漫な状態で人生を駆け抜けていくため、自分たちの考えていること、語っていること、行っていることは、本当に考えたり、語ったり、行うだけの価値のあるものなのか、立ち止まってゆっくり考える時間すらありません。

私たちは、外から押し付けられたたくさんの「しなければならない」と「するべきである」を真に受けて、必死でそれらを行おうとします。そしてあたかもそれらが、主（イエス）の福音から当然導き出される行為であるかのように生きているのです。人々を教会へ招くためにイベントをしなければなりません。若者には楽しみを与えなければなりません。資金を集めなければなりません。そして何よりも、みんなを満足させなくてはなりません。その上、教団や町のお偉いさんたちともうまくやり、みんなに好かれ、そこそこの人数の教会員から尊敬され、予定どおりに出世して、快適な生活を送れるだけの充分な収入と休暇もあるべきだ、と考えます。このように私たちは、忙しい人たちに与えられる報酬を自分たちへの報酬として受け取って、この世の忙しい人たちと何ら変わらないのです！

「忙しい人たちに与えられる報酬を自分たちへの報酬として受け取って、この世の忙しい人たちと何ら変わらない」……　私たちはどうでしょうか。私たちが日々の生活の中で得ている報酬とはどのようなものでしょうか？　何が私たちを満足させ、何が私たちの自己肯定感を高めるでしょうか？　私はナウエンのこの言葉を読んだとき、胸を突き刺される思いがしました。
もちろん、忙しいことそのものが悪いというわけではありません。勤勉は美徳です。私たちは怠惰ではなく、勤勉であるべきです。ただ、その忙しさがどこからやって来て、私たちの心に、体に、人間関係に、神との関係に、どのような影響を与えているのか、ということに注意を払う必要があるのではないかということです。

そこかしこにある燃える柴

こういう詩があります。

この地は天で満ちている
どのふつうの柴も神の火で燃えている
しかし、それに気づく者だけが履物（はきもの）を脱ぐ
ほかの者はただその周りに座り、木いちごを摘む

（エリザベス・B・ブラウニング）[5]

天とは神のおられる場所です。ブラウニングは、「この地は天で満ちている」と言います。

燃える柴を通して主がモーセに語ったように、私たちの周りにある何の変哲もない柴も、じつはみな、神の火で燃えているのだと言います。けれどもそれに気づく者だけが、自分が聖なる地に立っていることに気づき、履物を脱いで主を仰ぎます。ほかの人たちは、自分のすぐそばに神の燃える柴があることに気づかず、自分の仕事に気を取られ、忙しくしているのです。

燃える柴はそこかしこにあり、神は私たちにあらゆるものを通して語りかけようとしておられます。それなのに、自分の手のわざにばかり夢中になり、忙しさに翻弄されているなら、私たちはすぐそこにある燃える柴を、主の臨在と招きを、見逃してしまうかもしれません。

衝動的な生き方から観想的な生き方へ

以下に、私が霊的同伴の講座を受講していたときに学んだ、「衝動的な生き方から観想的な生き方へ」というリストをご紹介します。

何かに駆り立てられるような生き方から、結果にとらわれない、柔軟な生き方へ
現実を狭い視野で見る生き方から、広い視野の中に置いてみる生き方へ
自分で結果をコントロールしようとする生き方から、明け渡した生き方へ
何かに捕われた不安な心から、物事を受け入れた平静な心へ

何かにしがみつき、失うまいとする生き方から、手を離した、自由な生き方へ
いつも過去と将来を考えている生き方から、「今、このとき」を大切にする生き方へ
自己に陶酔した生き方から、自己を認識している生き方へ
自己保身に走る生き方から、自由に与えることのできる生き方へ
自己嫌悪から自己受容へ
攻撃的・防御的な生き方から、非暴力的な生き方へ
感情的に壁を作る生き方から、自分、神、他者との間に親密な関係を持つ生き方へ
二心のある生き方から、裏表のないシンプルな生き方へ
他者とは「対処すべき存在」であると見なす生き方から、他者とは「関係を築くべき存在」であると見なす生き方へ
無秩序な願望から、神への真の渇望へ
雑然とした内的スペースから、ゆとりある内的スペースへ
快楽・快適さを求める生き方から、苦しみを受け入れる生き方へ
子どもっぽい生き方から、子どものような生き方へ[6]

私は物思いにふけったり考えごとをしたりするのが好きなので、初めて「観想的」という言葉を聞いたとき、それは私のようなタイプのことだろうと思いました。ところがこのリストを

見たとき、自分は観想的とは似ても似つかない、衝動的な人間であることに気づき、愕然としました。

観想的であるとは、単に物思いにふけるのが好き、という次元のことではなかったのです。しかし愕然とした以上に、このリストにある「観想的な生き方」を見て、自分はまさにこのように生きたかったのだという感動に近い思いを覚えました。人より抜きん出るとか、効率よく、要領よく立ち回るとか、他者からの評価を気にして振り回されるのではなく、「こういう生き方がしたかったのだ！」と。

観想と活動

観想的であるとは、ただ静かに座って思いを巡らせるだけではありません。観想的な人は同時に活動的でもあります。衝動的ではありませんが活動的です。イエスはまさにそのような方でした。イエスは、早朝は一人で静まっておられましたが、日中はいろいろなところへ出かけ、多くの人々の人生に触れました。観想的な霊性は、イエスがそうであったように、退いて静まり、そして積極的に外に出て、愛と平安をもって人々とかかわっていくという二つの側面を持つのです。静まりの中で神の御声を聞き、それに応答するために出て行って活動する。そして活動の中でますます神の知恵と力と愛を求めるようになり、静まりの中に戻っていく。これはクリスチャンの生き方のリズム、神の恵みのリズムです。

別の言い方をすれば、観想的な霊性を持つ人は、モーターボートを運転する人ではなく、セールボート（帆船）に乗っている人のようだと言えます。モーターボートは自前のモーターで動きますが、セールボートはマストを立て、帆を広げ、風を受けることで進みます。静まって神の御声に耳を澄ますとは、風を受けるためにマストを立て、帆を広げるようなものかもしれません。自力でボートを動かすわけではありませんが、風を受けるためには、乗っている人がマストを立て、帆を広げます。そして帆が風を受ければ、ボートは否応なしに動きます。

私たちの活動も、自前のモーターで動かすのでなく、聖霊の風を受けることから生まれてくるのではないでしょうか。そして、そうやって出てくる活動は、自分の欲求や願望やニーズを満たすための活動や衝動的に出てくる活動ではなく、御霊の流れに乗った活動となるでしょう。イエスが「わたしのくびきは負いやすく、わたしの荷は軽い」（マタイ11・30）とおっしゃったのは、このことだったのかもしれません。

バリーとコノリーは、観想と活動についてこのように述べています。

私たちが語っている観想的体験とは、浮世離れしたものでも「特別」なものでもありません。泥で汚れた長靴のように、生活に密着した現実的なものです。その現実性と日々の生活との関係こそ、その観想的体験が本物であるしるしです。……活動的な召命をもっている人は、より全人的に、より深く、より情熱をもって神の民とそのニーズにかかわるようになります。観想によって活動的生活の中から失われるものがあるとしたら、自己中心性だけです。[7]

観想的生き方への招き

「衝動的な生き方から観想的な生き方へ」のリストを初めて見たとき、私はこれまでの人生で、ほぼそれとは逆の生き方、まさに「衝動的」な生き方を身につけてきたことに気づきました。私たちはみな、自分が生まれ育った時代や、社会、文化、また家庭環境や身近な人間関係、日々の体験の中で、多かれ少なかれ何らかの影響を受けています。その影響の多くは意識されることもないでしょうが、それらを通して心理学でいう「スキーマ」(思考や行動における構造化されたパターン)や、「認知のフレーム」(ものの見方のベースとなる枠組み)、また自己認識が構築されていきます。

自分が願う物事の結果(アウトカム)を得るために状況をコントロールすることや自己保身などは、この社会で生き延び、「成功」するために、ある意味必要なことかもしれません。この世はそのためのスキルを奨励してきたかもしれません。しかしパウロはローマ書12章2節で、「この世と調子を合わせてはいけません。むしろ、心を新たにすることで、自分を変えていただきなさい」と言いました。

英語の聖書ではこの前半を「この世の型にはめ込まれてはならない」と訳しているものもあります。私たちが成長過程で身につけた思考や行動や反応パターンは、すべてが「この世の型」にはめ込まれたものではないとしても、かなり混入しているのではないでしょうか。教会文化の中にさえも、イエスの価値観、イエスの教える生き方に必ずしもそぐわないものが紛れ込んでいる可能性があります。

あなたの周囲に、衝動的な生き方していると思える人はいますか？　その人はあなたにどのような影響を与えていますか？　観想的と思える人はいますか？　そういう人がいたら、その人はあなたにどのような影響をもたらしえるでしょうか？　あなたが観想的な人であったら、あなたの周囲の人にどんな影響を与えるでしょうか？

神の臨在の中に、そして神がこの世でなさっておられることの中に、「入ってきなさい、こっちにいらっしゃい」という招きは、至るところにあります。神が造られたこの世界は、じつはそんな招きで満ちているのだと気づき、そしてその招きに応答していくとき、私たちはこの世に対して、自分の存在自体が神のご性質を反映させるものと変えられつつ（霊的変容）、証となっていくのではないでしょうか。

アンラーニング（Unlearning）

私が霊的同伴について学び始めたころ、講師がこのように言いました。「霊的旅路におけるキーワードは、アンラーニング（Unlearning）です」。ラーンとは学習や習得することですが、アンラーンとは、いったん学習して身につけたことを、いわば白紙に戻すことです。辞書には「〈身につけたこと〉を（意識的に）忘れる（なかったことにする）〈悪習・悪癖など〉を捨て去る」と出ています。

フランシスコ会司祭リチャード・ローアは、「変容とは多くの場合、学ぶというより、**学んだことを忘れること**（unlearn）です。ですから宗教的な伝統では、それを『回心』あるいは『悔い改め』と呼ぶのです」[8]（強調は中村）と述べています。本書の一章でも、すべての人は何らかの方向に霊的に形成されつつ生きているのであり、キリストに似ていない方向に形成されたものが、向きを変え、御霊の導きのもとで形成され直すことが霊的変容であると書きました。この変容の過程には、いったん学んだこと、身につけたことを忘れるという、アンラーニングのプロセスも含まれるのかもしれません。

いったん学んだもの、身につけたもの、染み付いているものをアンラーンするのは容易ではありません。長い時間をかけて自然と染み付いたものであるほど、そもそもそれと気づくのに時間がかかります。さらにそれをアンラーンするとなればなおさらでしょう。

観想的な生き方は、自分の中にあるさまざまな習慣、思考や行動パターンを、善し悪しの判断なしに注意を払い、その存在を認めます。それから聖霊の導きを信じてそれを主に差し出していきます。神に変えていただくとは、自己を打ちたたいて神に従わせる、というような自分主導のプロセスではありません。主は私たちに罪悪感や恥の思いを持ってほしいと思っておられるのではなく、ただ私たちをそこから救い出し、豊かないのちを得させたいと願っておられるのです（ヨハネ3・17、10・10）。霊的変容とは「わたしから学びなさい」（マタイ11・29）と言われる主の導きに、自らをオープンにし信頼していくアンラーンのプロセスでもあるのです。

1 中村穣『信じても苦しい人へ：神から始まる「新しい自分」』いのちのことば社 二〇二一年
2 William A. Barry & William J. Connolly 前掲書
3 ヘンリ・ナウエン『いま、ここに生きる』大田和功一訳 あめんどう 一九九七年
4 Henri J.M. Nouwen, *The Way of the Heart: Connecting with God through Prayer, Wisdom, and Silence*, Ballantine Books, 2003
5 Elizabeth Barrett Browning, Aurora Leigh: Book 7, 1856
6 クリストス霊的形成センター「衝動的な生き方から観想的な生き方へ」Tending the Holy 霊的同伴講座講義ノートより
7 William A. Barry & William J. Connolly 前掲書
8 Richard Rohr, *Falling Upward: A Spirituality for the Two Halves of Life*, Jossey-Bass, 2011 邦訳 R・ロール『上方への落下：人生後半は〈まことの自己〉へと至る旅』井辻朱美訳 ナチュラルスピリット 二〇二〇年

第Ⅱ部　霊的同伴の働きに整えられる

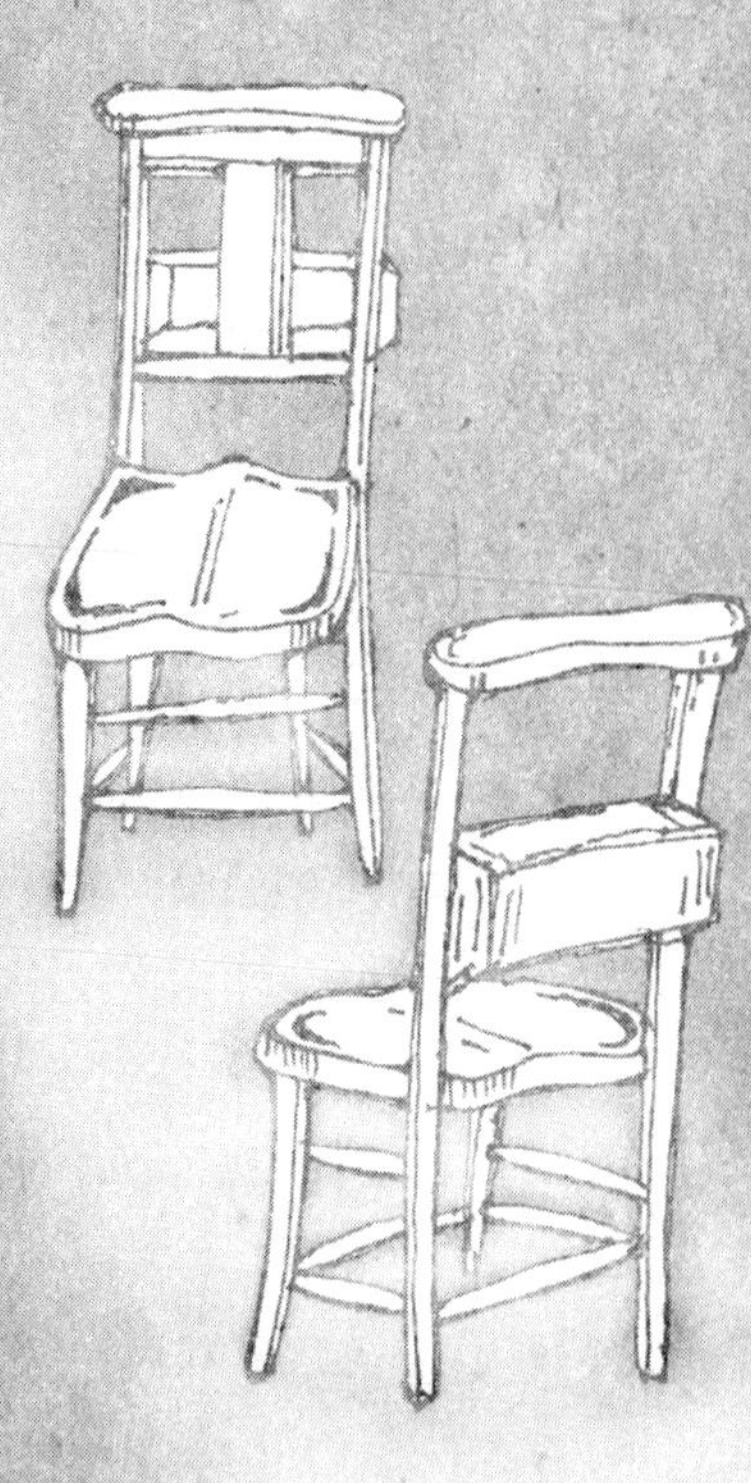

交わりの中でひとりがほかの人に対して負っている**第一の**奉仕は、〈その人の言葉に深く耳を傾ける（アンヘーレン）〉ということにおいて成り立つ。神への愛は私たちが神の言葉を聞くことから始まるように、兄弟への愛の始まりは私たちが兄弟の言葉を聞くようになることである。神が私たちに、ただその言葉を与えてくださるだけでなく、私たちにその耳をも貸してくださるということは、私たちに対する神の愛である。だから、もし私たちが兄弟の言葉に傾聴（ツーヘーレン）することを学ぶなら、私たちが兄弟に対してしていることは神のわざである。

ディートリヒ・ボンヘッファー[1]（森野訳）

第4章　霊的同伴者の資質

霊的同伴は誰が行うのか

ここまで霊的同伴がどういうものなのかを説明してきました。では、どういう人が同伴者としての働きをするのでしょうか。篠原明師は『「霊性の神学」とは何か』の霊的同伴に関する章で、その資質として、Ｒ・フォスターの次の言葉を引用しています。

霊的指導（同伴）者は、自分自身との関係において居心地よい自己受容を達成している人でなくてはならない。つまり、純粋なる人格的成熟さがその人の人生と生活全般に浸透していなくてはならないのである。

霊的指導（同伴）者はまた、男性であれ女性であれ、自己の内面の旅を続ける人であって、自らの内なる葛藤や疑いをも喜んで分かち合えなくてはならない。導かれる者、導く者両者にとって、つねに共におられる真の教師であるイエスから、共に学んでいる、ということを悟っている必要がある。[2]

また、スー・ピッカリングは、次のように述べています。

霊的同伴では、神観の変化や、神がこの世界でどのように働いておられるかということについて、神学的、関係的、共同体的、また個人的に何を意味するのかといったことと格闘している人に寄り添って歩む。そのため、同伴者自身がそのような格闘を体験したことがなく、被同伴者の隣に座って死といのちというミステリー（奥義）を認めることができないのであれば、同伴者としてほとんど役に立たないないだろう。[3]

バリーとコノリーは、『実践』の第8章で、どういう人が霊的同伴者になるのかについて述べています。バリーとコノリーは、シエナのカタリナ（14世紀のイタリアの修道女）やイグナチオ・デ・ロヨラのように卓越した霊的同伴者たちは、その役職や肩書きをもって働きに臨んでいたわけではなかったと指摘します。彼らは自ら名乗りをあげたのではなく、むしろ、信仰共同体の中で、他者から求められてそのような働きを担うようになったと言います。また、その働きは、教職者にしかできないものではなく、逆に教職者であればできるというものでもない、と述べています。

霊的同伴とは、クリスチャンの霊的生活の中心部、すなわち神との関係と深くかかわるものであり、被同伴者は同伴者に自分の内面を開示することになります。それはすでに述べたように、同伴者への信頼なしには難しいでしょう。そこでバリーとコノリーは、同伴者の資質として、他者に信頼心を起こさせることのできる「完全ではないが、比較的成熟した人たち」であることを第一に挙げています。そして「霊的同伴の働きをする人にとって、その人の人格、信仰と希望と愛、他者と関係を築く能力は、極めて重要なものなのである」[4]とも言います。

霊的同伴者の資質

以下に、バリーとコノリーが考える霊的同伴者の資質をいくつか挙げてみます。先に引用したほかの人たちの考えともかなり重なっているのが分かると思います。

(1)信仰体験に根差した神観を持つ

自分や他者の失敗や罪深さを体験しているが、それよりも大きな力によって救われ、自由にされた経験を持つゆえに、失敗や罪深さを恐れない。人生には光も闇もあり、私たちに理解できないこともあるが、そういう部分も含めて、彼らは人生をあまり恐れていない。[4]

霊的同伴者は、知識として神を知っているだけでなく、どんな状況においても共におられ、支えてくださる神を体験している人です。そして自分の人生の中で苦しみや失敗や自らの罪深さに直面しつつも、それよりも大きな神の力を体験し、そこから育まれた神観を持っています。

(2)心の温かさがあり、純粋に愛と関心を持って人の話を聴くことができる

被同伴者は生身の人間である。（中略）生身の人間とは、知的でおもしろい側面を見せるかと思えば、次の瞬間には退屈な側面を見せることもある。くだらないことを言うかと思えば、感動的なことを言ったりもする。重要で深刻なことを考えるかと思えば、どうでもいいようなつまらないことを心配したりする。明るく晴れ晴れとしているかと思えば、陰鬱になったりする。被同伴者の祈りの生活の中には、このようにさまざまな傾向が見られ

るだろう。生身の人間である彼らが神との関係を深めるのを助けるためには、「有り余るほどの温かさ」を持つ必要がある。[4]

同伴者が被同伴者の話を聴くのは、それが心踊る感動的なものだからではありません。被同伴者の苦悩に寄り添うことは、同伴者にとっても痛みを伴いますし、ときには、同じことの繰り返しで退屈に思える話を聴くこともあるかもしれません。それでも、同伴者はどんなときでも、心を込めて、コンパッション（思いやりと寄り添う心）をもって話を聴きます。

⑶自信を持っている

霊的同伴者には自信が必要である。自信がないと、自分が間違ったことをしてしまうのではないかと、絶えず不安になってしまう。[4]

自信のない同伴者は、被同伴者からの承認を無意識のうちに求めようとします。そうすると、聖霊に耳を傾けるよりも、被同伴者が喜びそうなことを言いたくなってしまうかもしれません。同時に、ここで言う自信のある同伴者は、自分の能力や経験を過信することもしません。また、自分が聖なる領域に入っていくことを知っているので、そこにはある種の「畏れおののき」が伴っています。生ける神に対する畏怖、聖なるものに対する畏怖です。

(4) 強い感情や神秘体験や人間臭さを恐れない

霊的同伴者は、被同伴者の強い感情や、神秘的な体験や、人間臭い反応をあまり恐れない。(中略) また、自分や他者の痛みを伴う体験もあまり恐れない。[4]

同伴者が被同伴者の強い感情や体験などを恐れると、無意識のうちにも否定的な反応を見せてしまうかもしれません。そうすると被同伴者は、自分の感情や体験は受け入れてもらえないと感じ、それらを分かち合うことを避けるようになってしまうかもしれません。同伴者は、神は被同伴者のあらゆる感情、あらゆる反応を受け入れてくれることを知っているので、自分もまた、被同伴者が何を分かち合っても、恐れたり動揺したりすることなく受け止めることができます。

霊的同伴への召命の識別

霊的同伴の働きに関心のある人がこれまでの記述を見たら、自分などとうてい無理だと怖気づいてしまうかもしれません。私もそうです。しかし人は皆、霊的旅路の途上にあり、霊的同伴者も当然例外ではありません。人格的成熟さという点においては、どこまで成熟していたら同伴者としてふさわしいと言えるかなどは、主観的に判断できるものではないでしょう。

福音主義霊的同伴者協会（ＥＳＤＡ）の倫理規程（巻末掲載）には、「霊的同伴者は、**神からの召命と信仰共同体からの承認**を受け、同伴の働きを提供するようになる」（強調は中村）とあります。米国での養成プログラムでは、プログラムの願書を出す時点で、最低一年以上自分自身が同伴を受けてきていること、そして自分の同伴者および所属教会の牧師からの推薦状を求める場合が多いようです。

霊的同伴の働きへの召しを感じた人は、自分の同伴者と共に、それが神の導きであるかどうかを識別します。同伴者からの推薦をもらうことは、その人に召命があるかどうか、祈りをもって考慮したことの証となるでしょう（この段階でまだ召しが完全に確認できていないとしても、プログラムの中でその識別プロセスを続けることができます）。また、所属教会の牧師やその人をよく知る人からの推薦は、他者を援助する働きに従事する上で求められる人格的・霊的成熟や安定性を見る客観的な目安になると思います。

召しか訓練か

どんな働きをするにも適性はあるでしょう。自分の能力や性格に合った仕事を選ぶことは重要です。それによって自分らしさがますます輝き、神から与えられた賜物を生かすことができます。しかし、生まれながらの能力や性格に加え、訓練や学びによってスキルや知識を習得し、練習や経験を積むことも必要です。音楽家もスポーツ選手も、どんなに才能に恵まれていたとしても、厳しいトレーニングを継続することは欠かせません。資格試験に受かり、何らかの働きに正式に認定されたとしても、継続的な学びはほとんどの仕事において求められるものです。

霊的同伴の働きも例外ではありません。それは何よりも神からの贈り物であり、神の恵みによるものです。しかしだからといって、訓練や学びが不要だということにはなりません。

バリーとコノリーは霊的同伴者の資質について述べる中で、このように言っています。「(前述したような)温かみというものは、訓練プログラムを通して学べるものではない。しかしながら、『霊的同伴者は生まれるのであり、作られるのではない』というものでもない」[4]。「霊的同伴者は生まれるのであり、作られるのではない」とは、訓練によって同伴者を作り上げることはできない、という意味でしょうが、バリーとコノリーはこの言い方は正しくない、と言っています。彼らが言わんとしているのは、霊的同伴者とは人生経験と祈りを通して培われ、神の恵みとしてこの働きをさせてもらう者であるが、だからといって何の学びも訓練も必要ない、という意味ではないということでしょう。二人は続けてこのように述べています。

霊的同伴者になる可能性のある人とは、ある程度幅広い人生経験を持つ人である。……神との関係において成長してきた人、今なお成長し続け、神との関係を深め続けている人でなければならない。神秘的な祈りを極めている必要はないが、自らを『神に愛された罪人』として見るという体験をしている人でなくてはならない。また クリスチャンの霊的同伴者は、単に救い主としてのイエスに出会っているだけでなく、私たちを決断と自己犠牲に招く主との出会いも体験している必要がある。

人がイエスの使命に自分を深く重ね合わせるようになるとき、主との関係は変化し始め、より微妙な霊の動きを体験するようになる。救いの慰めしか経験したことのない同伴者には、そういう深い関係を体験している人を理解し、助けることは困難だろう。……霊的同伴者には、個人的な体験のほかに、この働きに向けて整えられるための継続的な学びが必要だ。博士号は不要だが、個人の体験と常識から得られる以上の知識を持っている必要がある。[4]

そして、霊的同伴者になることについての章の最後を、このように締めくくっています。「専門的な準備を、あまりに安易に不要なものとみなしてはならない[4]」。つまり、召し（賜物）か訓練（努力）かという二者択一ではなく、両方が必要だということです。

霊的同伴には、行政や国などの公的機関が認定する正式な資格はありません。他者の霊的旅路に寄り添うことは、かつては賜物のある人が自然発生的に行っていたことでしょうし、おそらく現在でも霊的同伴という概念も言葉も知らずに、あるいは知っていてもそうは呼ばずに、実質上同じ働きをしている人たちは少なからずいるでしょう。しかしこの働きが広まってきた現在、「霊的同伴者」を名乗るためには、何らかの形での学びと訓練を受けていることが求められると思います。それは、同伴を受ける人を守るためでもあります。

霊的同伴は専門職か

ケネス・リーチは、『魂の同伴者』改定版序文で、「（信仰者が）霊的指導を受けることはキリスト教信仰の核心であることを人々に伝えることが何よりも大切」であり、「（霊的同伴は）広い牧会的配慮と神学的形成を熟慮する中で重要な機能を果たす」（関訳）と述べつつも、その働きが実際以上に重要視されることを危惧しています。そうなったことで、その働きをする人が過大評価されたり、ほかの働きができなくなるほど忙殺されたりするケースをリーチは見たと言います。それは、教会の奉仕の姿として健全なあり方ではないと言います。

説教者でもワーシップリーダーでも、一部の奉仕者が著名人扱いされ、ときには偶像視されることさえありますが、残念ながら霊的同伴者も例外ではないのかもしれません。この働きの近年の急速な広がりの中で、リーチはそれが起こりえることに警鐘を鳴らしているようです。『聖なる招き―霊的同伴とは何か』[5]（邦訳未刊）の著者ジャネット・バッキも、陥りかねない危険として次のことを挙げています。

霊的同伴を人が神との関係を深めるための唯一の方法だと思うこと
霊的同伴こそ霊的成長の主要な方法であると思うこと
霊的同伴の働きを重要なものと見なしすぎること

リーチやバッキの懸念はじつにもっともだと思います。私が霊的同伴に出会った当初、クリスチャンになってすでに三〇年以上経っていたにもかかわらず、これまで体験したことのないような恵みを感じました。ある意味、今でもそう感じますし、今後も霊的同伴を初めて体験する人の多くは、同じように感じるかもしれません。自分がこれまで知らなかった素晴らしいものに出会うと、みんなに勧めたくなりますし、ほかの良いものがかすんでしまいます。しかし、後述するように、これはすべてのクリスチャンに必要だとは限らず、この働きにとても助けられる人もいれば、特に必要としない人もいるでしょう。

霊的同伴の素晴らしさに魅了されるあまり、これこそが最善であり唯一絶対だと思い込むのであれば、それはカルト的霊性の入り口になり得ます。同伴の根底にある観想的な態度は、どんなにすばらしい恵みであったとしても、それを握りしめたり、ましてや独占したりしません。同伴者が、自分は牧師やカウンセラーやセラピストより優れた働きをしていると思うなら、それは高慢であり、すでに神の恵みから滑り落ちています。

霊的同伴の働きは紛れもなく神の恵みです。しかしそれは、神がこの世に注いでおられる数多くの恵みの中の一つなのです。その働きは数ある奉仕の中の一つであり、ほかの奉仕と並行して働くことで、各信仰者そして信仰共同体を立て上げていくものであることを覚えておくべきです。

霊的同伴をする人は、そのための訓練を受けていることが大切であると先に述べました。適切な訓練を受けていない人が自己流でこの親密な働きをするなら、同伴を受ける人を傷つけ、霊的搾取にもつながりかねないからです。ですから、適切な訓練の必要性は軽んじられるべきではないと思います。

しかしながらその訓練は、「霊的同伴」という専門職に従事するプロフェッショナルを育成するためのものではなく、この働きに召されている人を、その召しに応えるために整えるものです。実際、私が訓練プログラムを受講し始めたとき、「このプログラムは、霊的同伴者を養成するためのコースではありません。神からの贈り物であるこの働きのために皆さんを整える場です」と言われたものでした。

リーチは、霊的同伴とはプロによる専門化された働きではなく、「本質的に祈りの生活と、聖性の発達の副産物」であり、「神の国への奉仕の中でたえず呼び覚まされて」(関訳)いくべきものであると言いました。カナダのリージェント・カレッジのジェームス・フーストンも、霊的同伴がプロフェッショナリズムに陥ることを懸念していた、という話を聞いています。その働きは本来的に、一人のキリスト者からもう一人のキリスト者への愛の奉仕として差し出されるものであり、神の恵みによるものです。たとえそれが有料で提供されるとしても、同伴者はそのことを忘れてはなりません。

ここで、霊的同伴とは専門家による働きなのか、それともすべての人に開かれている働きなのか、という問いが改めて出てきます。この問いに答えるには、第一章で触れた霊的同伴と霊的友情の区別を考えるといいでしょう。共に祈り、聖霊の導きを求め、互いの魂の深みに触れ合うような交わりを持ち、互いにケアし、寄り添って歩み合う、そのような霊的友情にはすべての人が招かれていると思います。このようなかかわり方は、プロやスペシャリストだけのものではありません。

ヘンリ・ナウエンもこのように述べています。

一対一の同伴という形だけで考えるのは間違っていると思われる。そのような働きをするには、とにかく充分な人も充分な時間もないのだ。キリスト者としての修練の実践を、互いに助け合うような働きと考えることが重要である。（中略）そして自分たちの生活の中にある神の絶えざる臨在にもっと敏感になる生き方を求めるのである。[6]

整えられることの必要性

すべてのクリスチャンが互いにケアし、寄り添って歩むよう招かれているのであれば、「霊的同伴者」と呼ばれるこの働きにために整えられた（訓練を受けた）働き人は必要ないのでしょうか。私はそれもまた違うと思います。霊的同伴が、特別に取り分けられた時間と場所で、静かに丁寧に行われるのは、それがプロによる仕事だからではありません。相手の魂が聖なるものであり、それに敬意を表しているからです。人が魂の奥にある大切なものについて語ろうとするとき、周囲に人がいるカジュアルな環境は往々にしてふさわしくありません。あまりにプライベートで、繊細で、壊れやすいこと、見栄えが悪いと思えること、神秘的で理解されにくいかもしれないことなどは、ふだん一緒に生活している人や一緒に働いている人、親しい人たちには分かち合いにくい場合もあるでしょう。

マーガレット・ゲンサーは、今の時代の人々は、性についてはためらいなく語れるのに、神との関係を語ることには大きな抵抗があると指摘しています。自分の祈りの生活や神との関係について語るとは、非常にプライベートなことなのです。そうであれば、月に一度の同伴のセッションでしか会わない、完全に守秘義務を守り、その人は自分をどう評価するだろうかと心配する必要のない相手のほうが、安心して自由に正直に分かち合えるのではないでしょうか。だからこそ霊的同伴者は、そのような会話を聖なるものとして大切に扱うのです。そこには、聖なるものへの畏れとへりくだりが伴います。

霊的同伴者の働きは、技術的な意味でのプロフェッショナルかアマチュアかという問題ではなく、そのプロセスの聖性に対する自覚と献身があるかどうか、ということではないかと思います。自覚と献身があればこそ、自らをその働きのために整えるのです。

福音主義霊的同伴者協会（ＥＳＤＡ）が掲げる同伴者のための倫理規程には、「まず自分自身が霊的同伴を体験し、それからこの働きに入るための訓練を受けるようにする。そしてこの働きを、より良く提供できるよう、絶えず知識と技能を高める努力をする」という文章があります。さらに、「霊的同伴者は、自分のミニストリーは神からの贈り物であることを覚え、同伴の働きを商品として不当に利用することはしない」という一文もあります。この両方が大切なのです。見よう見まねで安易に他者の心に踏み込んだり、自らのスキルや知識に頼ったり、この働きをビジネスチャンスのように捉えたりすることは、霊的同伴者としての倫理にもとると言えるでしょう。

倫理の話題が出たところで、次章では霊的同伴と倫理について、さらに詳しく見ていきたいと思います。

1 ディートリヒ・ボンヘッファー『共に生きる生活』森野善右衛門訳　新教出版社　二〇一四年
2 篠原明　前掲書
3 Sue Pickering 前掲書
4 William A. Barry & William J. Connolly 前掲書
5 Jeannette A. Bakke 前掲書
6 Henri Nouwen, *Spiritual Direction: Wisdom for the Long Walk of Faith*, HarperOne 2015

第5章　霊的同伴と倫理

霊的同伴の働きのための訓練を受ける人は、その倫理的側面についても学びます。世界的なネットワークである「霊的同伴者インターナショナル」（ＳＤＩ）は、一九九九年に会員が従うべき倫理規程[1]を制定しました（二〇一三年改定）。「福音主義霊的同伴者協会」（ＥＳＤＡ）も会員向けに、クリスチャンの文脈における倫理規程を設けています。この働きをする人は、たとえＳＤＩやＥＳＤＡの会員として登録していなくても、神と人との前に負う責任として、次のことを念頭におくとよいでしょう。

ＳＤＩの倫理規程

ＳＤＩは、一九八九年にカリフォルニアで持たれた霊的同伴者の集まりで発足し、のちにカリフォルニア州の非営利宗教法人として登録されました。ＳＤＩはその倫理規程を、①自己に関する責任、②被同伴者に対する責任、③他者（第三者）に対する責任の三つの観点からまとめました。以下に簡単に紹介します。（詳しくは www.sdiworld.org を参照）

①自己に関して

- 自分の霊性のケアに責任を持つ。自分自身が霊的同伴を定期的に受けること、および霊的修練を実践していることが含まれる。
- 自らの継続的な霊的形成と継続的な学び。
- スーパーヴィジョンを受ける。
- 自分自身に関する責任。セルフケア、時間管理、家庭生活と仕事のバランス、同伴関係が不適切なものになるような状況から身を避ける。
- 自分の限界を自覚する。被同伴者をおおぜい受け持ち過ぎない。一日にあまり多くのセッションを予定に入れない。被同伴者の必要に応じてほかの援助者を紹介する。

②被同伴者に関して

- 関係のあり方を明確にする。同伴関係の初めに、それがどういう働きであり、この関係の中でそれぞれがどういう責任を負うのか、料金はどうなっているかなどについて被同伴者に説明する。

●被同伴者の尊厳を守る。被同伴者の体験や価値観や文化背景などを尊重する。性的な言動を慎む。被同伴者との間に適切な心理的・物理的境界線を保つ。

●守秘義務を守る。セッションの内容についても、被同伴者のアイデンティティーについてもいっさい口外しない。セッションを持つ場所も、静かで他者の出入りのないふさわしい環境で行う。なお、守秘義務の例外として、被同伴者が自分または他者を傷つける可能性があるとき、被同伴者の生活に虐待（児童虐待や家庭内暴力など）の可能性がある場合などは、法で定められている通告の義務が優先される。

③他者（第三者）に関して

●同僚との関係。他の霊的同伴者や援助の働きに携わる人たちとの関係を築く。被同伴者の牧師やカウンセラーといった人たちの働きを尊重する。

●信仰共同体との関係。自分が属する信仰共同体（教会や団体等）との間に責任ある関係を持ち続け、被同伴者とその信仰共同体の関係を尊重する。

●社会との関係。自分の資格や所属を正確に示す。霊的同伴の目的や内容を周囲に対して適切に定義する。人種・性的指向などにかかわらず、すべての人を尊重する。

これとほぼ同様の倫理規程を、ＥＳＤＡもクリスチャンの立場から定めています。ＥＳＤＡの許可を得て、本書の巻末にその全文の邦訳を掲載してあります。

霊的同伴とアカウンタビリティー（説明責任）

アカウンタビリティーとは、ビジネスなどの場面で「説明責任」と訳され、自分の任務にかかわる事柄について関係者から説明を求められたときに説明する責任、自分が行うと言ったことはその言葉どおりに行う責任、というような意味で用いられます。クリスチャンの共同体、特にスモールグループなどでは、互いに自分の罪を言い表す、誘惑に負けないように互いに注意し合う、といった意味合いが含まれることもあるようです。

しかしアカウンタビリティーの基本的な意味は、何かについて尋ねられたとき、その問いに答える責任を負うことです。言い換えると、自分が誰かに対して何かについてのアカウンタビリティーを負うとは、その何かについて「自分に尋ねる許可をその人に与える」ことであり、尋ねられたらそれに答えることに同意しているという意味です。

では、霊的同伴の関係においてはどうでしょうか。被同伴者は同伴者に対して、何らかのアカウンタビリティーを負うのでしょうか。たとえば罪を犯したときにその罪を告白する責任や、毎日どれくらい祈っているかなどの報告義務を負うのでしょうか。

これは同伴者の間でも意見が割れるかもしれませんが、私は、被同伴者は同伴者に対して上述のような意味での責任は負わないと理解しています。つまり、たとえ被同伴者が罪を犯したり、何らかの誘惑にかられる体験をしたりしても、それについての報告や告白をする責任や義務を負わない、ということです。

換言すれば、言いたくないことは言わなくていいのです。同伴者が告白を要求することはありません。また、同伴者がさまざまな霊的修練を勧めることはあるでしょうが、それは宿題ではなく、どうするかは被同伴者に委ねられています。信頼関係の中で、被同伴者が話したいと思うことを話したいと思えるときに話し、生活で何を実践するかは、被同伴者が聖霊に聞きつつ自分で決めればよいのです。

被同伴者が説明責任を負いたい場合

被同伴者が自主的にあることについて説明責任を負いたい場合があるかもしれません。そのときは、同伴者は喜んで協力するでしょう。たとえば、被同伴者が「聖書通読を始めたので説明責任を負わせてください」と同伴者に言うとします。それは「聖書通読の進み具合はどうですか?　毎日読んでいますか?」と同伴者が被同伴者に尋ねる許可を、被同伴者が同伴者に与えるということです。そして尋ねられたら正直に答える、という意味です。

繰り返しますが、これは被同伴者がそれを求めるならば、であり、同伴者が被同伴者に要求するものではありません。では、同伴関係には何のアカウンタビリティーもないのかといえば、それも違います。

こんな話を聞いたことがあります。ある人がセッションの中で、自分の生活で起こっていること、また自分の心の中で起こっていることについて同伴者に語りました。その人の話が一通り終わると、ずっと耳を傾けていた同伴者は、

「あなたの祈りの生活はどんな感じですか？」と尋ねました。

これは、単に祈りの頻度について尋ねているのではありません。何についてどのように祈っているか、祈るとき何が起こっているか、どんな語りかけを聞いているか、祈るとき神はその人にとってどのように感じられるか、祈ることはその人に何をもたらしているか……そういう問いです。この問いを尋ねられた人は、

「あまり満足のいく祈りの生活を持てていません」と答えました。

すると霊的同伴者は、責めたり批判したりする口調ではなく、一言優しくこう尋ねました。

「あなたが願っているものは何ですか？」

霊的同伴を受けに来る人は、神と共に歩み、神との関係を深めることを願っている人です。同伴を受けにくる根本的な動機・願いから被同伴者が逸れてしまわないように、同伴者は神に

目を向けるように働きかけます。それは決して命令や指図のようなものではなく、被同伴者が応答の自由を持てる問いかけの形でなされます。被同伴者の行動について説明責任を求めるのでなく、その人が自分の魂の状態に注意を払うことを求めるのです。被同伴者に求められるアカウンタビリティとは、そのようなものです。

スーパーヴィジョン

それでは、同伴者の側は何らかの責任や義務を負うでしょうか。基本的には、倫理規程にあること、特に「自分に関する項目」について責任を負うと言えるでしょう。その中で同伴者がスーパーヴィジョンを受けることに言及していますが、耳慣れない言葉でもあると思うので、ここで少し説明します。

スーパーヴィジョンとは、「監督」や「指導」を意味し、一般的には臨床心理士や社会福祉士などの対人援助の働きにつく人が、自分の受け持つ事例に関して助言や指導を受けることです。霊的同伴におけるスーパーヴィジョンでは、同伴者が同伴セッションのあいだに自分の内面に生じた感情や態度について、ほかの霊的同伴者（スーパーヴァイザー）に分かち合い、振り返ります。そしてそこで何が起こっているのかを聖霊に聞きつつ見極め、取り扱います。

スーパーヴィジョンは、同伴者が同伴中に感じる自分の感情や思いから自由にされ、それらに妨げられることなく、被同伴者に寄り添えるようになることを助けます。[2]

たとえば被同伴者が、同伴者自身も過去に体験した何らかの試練や苦しみについて分かち合ったとします。そのとき、同伴者自身の心の奥にある痛みや、まだ解決されていなかった感情が呼び覚まされるかもしれません。その場合、自分の痛みと被同伴者の痛みを区別できるならいいのですが、ときには自分の痛みに反応して、それを被同伴者に投影してしまったり、自分自身の痛みのゆえに被同伴者の話を充分に聞けなくなったりしてしまうことがあります。そうなると、神が被同伴者とどのようにかかわろうとしておられるかを見分ける妨げになります。

また神学、文化、政治的信念などの違いから、被同伴者が分かち合うことに同伴者が個人的に賛同しない場合もあるでしょう。賛同しないことは一向に構いませんが、心の中で被同伴者の言葉に反応や反発をして、被同伴者に寄り添うことが困難になる場合もあるかもしれません。

ときには、被同伴者が分かち合う神との深く親密な関係や豊かな霊的体験に対して、同伴者が嫉妬に近い感情を抱くこともあります。そして無意識のうちに、被同伴者の話に関心を持って耳を傾けることができなくなってしまう場合もあります。

同伴のセッションで、聴き手である同伴者の中にさまざまな感情が湧いてくること自体は自然なことです。同伴者は、そういった自分の感情や思いにも注意を払い、それが自分の役割を妨げることがないように気をつけます。しかしそれらの感情を適切に取り扱わないままでいると、もはやふさわしい応答ができなくなり、最悪の場合、同伴関係を傷つけることにもなりかねません。そこで、同伴者は定期的にスーパーヴィジョンを受けることで、セッションの中で起こる自分自身の内面の動きについて、スーパーヴァイザーとともに取り扱うのです。

二種類のスーパーヴィジョンとコンサルテーション

スーパーヴィジョンの方法には二種類あります。一つは、スーパーヴァイザーとしての訓練を受けている霊的同伴者と一対一で面談すること（通常の霊的同伴とは別）、もう一つは、他の同伴者数人でグループを作り、互いにスーパーヴァイズし合うピアスーパーヴィジョンです（「ピア」とは、「仲間・同僚」という意味）。私は、同伴の学びをしていたときのクラスメート五人でピアスーパーヴィジョンのグループを作り、毎月一回集まっています。

霊的同伴には厳格な守秘義務が伴うため、セッションの中で起こったことや、それにかかわる自分の内面について、誰にも話すことができません。唯一、スーパーヴィジョンの場でだけは、同伴関係で自分が体験した感情について語ることができます（焦点はあくまでも同伴者本人の内面）。ですから、同伴関係を健全で目的にかなったものに保つために、スーパーヴィジョンを受けることが非常に重要なのです。自分自身も霊的同伴を受け続けること、そしてスーパーヴィジョンを定期的に受けること、その両方は必須だと言えます。

これと似ていますが異なるものに、「コンサルテーション」があります。コンサルテーションとは、自分が同伴しているときにどう対応したらいいのか分からなかった事柄などについて、先輩、または同僚の同伴者に相談することです。スーパーヴィジョンは同伴者の内面を扱うのに対し、コンサルテーションは技術的な側面を扱います。

1 SDI Guidelines for Ethical Conduct

2 Maureen Conroy, R.S.M, *Looking into the Well: Supervision of Spiritual Directors*, Loyola Press, 1995 参照

第6章　霊的同伴者にとっての有益な学び

本章では、私が霊的同伴の学びをしてきた中で特に有益だったトピックをいくつか紹介します。ただし、ここで挙げるものは一部であり、ほかにも多くの大切な学びがありました。また、それぞれのトピックについても、ここで触れるのはほんの一部であり、全体像ではありません。関心のある方は、それぞれのトピックを専門的に取り上げている書籍（本章でいくつか言及する）を参照していただければと思います。

さまざまな霊性の流れ

一口にキリスト教霊性といっても、その中にはさまざまな流れがあります。霊的同伴の働きは、観想的な霊性が根底にあり、観想的霊性を養う霊的修練を多く学びますが、ほかの霊性を否定するものではありません。まったくそうではありません。むしろ逆に、キリスト教霊性の伝統にさまざまな流れがあることを理解し、その一つひとつを大切にします。自分自身もさまざまな霊性の流れから学びたいですし、特に被同伴者の背景にある霊性を重んじます。

Ｒ・フォスターは、『生ける水の流れ』[1]（邦訳未刊）という本で伝統的なキリスト教霊性に見られる六つの流れを挙げました。それは、キリスト教の歴史の中で、聖人たちやキリスト教のさまざま運動の中に見出されるものであり、何よりもイエスご自身の人生の中に表されていたとフォスターは言います。それらの六つの流れとは次のものです。

(1) 観想的伝統：祈りに満ちた生活
(2) ホーリネスの伝統：清い生活
(3) カリスマ的伝統：聖霊によって力を受ける生活
(4) 社会正義の伝統：憐れみ深い生活
(5) 福音派の伝統：みことばを中心とした生活
(6) 受肉（顕現）の伝統：秘跡を大切にする生活

教会史に詳しい人であれば、これらの伝統が、どの時代にどこで起こり、どのように教会に影響を与えてきたかといったことを指摘することができるでしょう。こうした流れのいくつかがミックスしている教派もあることでしょう。これらの伝統の説明をするのは本書の範疇外になります。しかし自らの霊的歩みや受けてきた影響を振り返るなら、自分の信仰がどういう流れの中で培われてきたのか、分かるのではないでしょうか。

キリストの似姿に変えられていく霊的成熟とは、これらの霊性のどれか一つの中だけで起こることではなく、むしろこれらの伝統が統合されていくことだとも言えるかもしれません。霊的同伴では、被同伴者の霊的バックグラウンドは多岐にわたります。そして同伴にやって来る人は、自分が親しんできた霊性の伝統だけでは満たされないものを感じている場合が少なくありません（私自身もそうでした）。同伴する中で、二人で神の招きに耳を傾けていくと、ほかの霊性の伝統からも学ぶよう導かれることがあります。また自分の伝統の価値を再発見して、当たり前だと思っていたもの、あるいは習慣だけになってしまっていたものを、改めて感謝して受け入れ、心を込めて実践することへと導かれることもあります。

今までイコンやロザリオなど使って祈ったことのなかった人が、祈りを深めるためにそれらのものを用いてみたり、あるいはボランティア活動などに導かれたりするかもしれません。聖書を読むことの意味や、聖餐にあずかることの意味を再確認するかもしれません。

福音派の流れにある人々は、伝統的にみことばを大切にし、何事も聖書を土台にすることを重んじてきました。しかし、聖書を読むときに、ともすれば情報や知識を得るための活動が中心になり（informational）、みことばによって形造られるという側面（formational）が弱くなっていることもあるかもしれません。その点に関しては、M・ロバート・マルホーランドJrの『みことばによって形造られる』[2]がとても助けになります。

二つの暗夜

一六世紀のカトリックの聖人で、教会博士（カトリック教会において、聖人の中でも特に学識にすぐれ、信仰理解において偉大な業績を残した人に送られる称号）でもある十字架の聖ヨハネは、アビラの聖テレサ（教会博士、大テレジア）と共にスペインでカルメル会の改革を行なった人物です。しかし男子修道会の霊的刷新に取り組もうとした彼の行動は、周囲の修道士の理解を得られず、弾劾されたあげく、修道院の小部屋に幽閉されてしまいました。十字架の聖ヨハネはその九か月間の幽閉生活の中で霊的なインスピレーションを得て、その後『暗夜』[3]という書物を著しました。彼が語る魂の「暗夜」とは、「神との一致に至るまでの過程」を指します。それは、自分がこれまで神との関係を築いてきた中で頼りにしてきたさまざまなものが浄化され、削ぎ落とされていくプロセスのことです。

聖ヨハネは二段階の「暗夜」について語ります。まず、「感覚の夜」と呼ばれる段階があります。

かつては自分に慰めを与えていたものから慰めを得ることができなくなり、祈りも無味乾燥なものになります。しかし怠惰に陥っているのではなく、神への切望は強まります。これは、たとえば五感から得られるような各種の満足感や、人や物など、自分の外側にあるものへ執着から自由にされるプロセスです。また、これまでのように言葉を用いた黙想や思い巡らしにも困難を覚えます。これは観想的霊性への入り口とも言えるかもしれません。

次に、「霊の夜」と呼ばれる段階があります。この段階では、自分の内側にあるものへの執着が剥ぎ取られていきます。神と一つになるために自分からいろいろな執着がなくなり、ついにただ神の愛の中に安らぎを見出せるようになります。ところが、今度は神ご自身から拒絶されているかのように感じます。（ただし、多くの人は「感覚の暗夜」を通って観想に到達するところでとまり、「霊の夜」にまで至る人は少ないと言われているそうです。）

「霊の暗夜」では、自分が神との関係を築いていく中で頼りにしていたものが削ぎ取られるのですから、苦しい体験になるでしょう。たとえば、神に深く触れられるなら当然感じるだろうと期待していた感情的な高まりが、削ぎ取られるかもしれません。新しいことを学んでいるという手応えが、削ぎ取られるかもしれません。いくら聖書を読んでも、祈っても、神がそこにおられる、語りかけてくださっているという手応えが得られなくなるかもしれません。そういうとき、自分は神から離れてしまったのだろうかと不安になります。

なぜ神は語ってくださらないのか、私が何か罪を犯したのだろうか、と悩みます。けれども、私たちが神から離れたのではなく、私たちを成長させるために、神の側があえて離れておられるようなときがあると聖ヨハネは言います。もしかしたら、補助輪なしの自転車に乗る練習をしていたとき、それまで一緒に走って自転車を支えていたお父さんが、手を放してしまったかのような感じかもしれません。

今まで神と自分との間にあったものが、なくなってしまったかのように感じるのは恐ろしいことです。しかしそこを通ることで私たちの神体験は、もはや自分の感情や確信に依存することのないものになっていきます。神とはこういう方、このように私を満たしてくださる、神に触れていただくと私はこういう反応をする……などなど、信仰の歩みの中で自分の中に確立してきたものが、くつがえされていくときです。それらが、もはや意味をなさなくなってしまうときです。そのとき、私たちは、自分の持っていた神のイメージや神の感覚ではなく、神ご自身と出会うことができると言うのです。

十字架の聖ヨハネは、「魂の暗夜」とは、観想的であり、痛みを伴うものであり、しかしながら私たちの霊的旅路にとって必要なものであると言います。G・メイ（精神科医、神学者1940~2005）は、十字架の聖ヨハネがこのような状態を「暗夜」と呼んだのは、それが苦しい体験だからではなく（苦しいことは事実ですが）、神のもとに向かう体験とは、夜の闇のように明確には分からない、不明瞭でぼんやりとした道のりだからだと言います。神が自分の中で何をしてくださっているのか分からない、気づいていない、理解していない、無自覚の状態だからだと言います。[4]

霊的同伴では、被同伴者がそれと知らずに魂の暗夜を通り、苦しんでいるときがあります。同伴者は客観的に見ることができるので、それが魂の暗夜だと気づけば、被同伴者に「恐れなくてもいい、心配しなくてもいい」と励ますことができます。

霊的識別（霊の識別）

私はペンテコステ系の教会の伝統で育ったせいか、霊的識別というと、真っ先に悪霊の存在やサタンの働きを見分けることを思い浮かべたものでした。実際、聖書は、霊的なことがすべて聖霊によるとは限らないので、霊を吟味するようにと教えています（一ヨハネ4・1）。

しかし、悪霊の働きを識別するだけが霊的識別ではありません。パウロが「すべてのことを見分けて、本当に良いものを堅く守りなさい（一テサロニケ5・21）」と言ったように、善と悪を見分けること、また善と次善と最善とを見分けることも、私たちが識別すべきことです。そしてその判断には、聖霊の助けが必要です。

そして、クリスチャンにとって「識別」（あるいは「見分ける」こと）が意味するのは何よりも、神のみこころを知ることでしょう（ローマ12・2）。聖霊は私たちの内に願いを与え、志を立てさせてくださるお方です（ピリピ2・13）。しかし、人は自分をも欺くことがあると聖書は教えています（ヤコブ1・22）。自分の思考や判断、選択に影響を与えるものが、どこから来ているのかを見分けることが大切です。ヤコブは、知恵には、上からくるものと、地に属するもの、肉に属するもの、悪霊に属するものがあると言いました（ヤコブ3・15）。何が神から来た思いで、何が自分から出ている思いなのか、何が時代や社会の流れやこの世の常識や周囲の期待による圧力からきたものか、あるいは悪霊から出ているものか、それらを識別する必要があります。

　神のみこころを知るとは、何をすべきかという「活動」だけにかかわるものではありません。私たちに対する神の愛、憐れみ、慈しみ、励まし、慰めを、日常生活のさまざまな出来事や状況の中に観てとることも含まれます。神の臨在そのものを日々の生活の中に見出すことです。ヘンリ・ナウエンはこのように言っています。

> 私たちの神は、私たちをケアし、癒し、導き、教え、励まし、向き合い、正してくださるお方です。識別するとは、何よりもまず、神に聴くことです。そこにある神の臨在に注意を払い、神の促し、導き、指導、手引きに従うことです。[5]

　では、そのための識別にはどうすればいいでしょうか。キリスト教の伝統における識別の方法の一つに、**私たちの心の動き**（**霊動**）に目を留める、というものがあります。

イエズス会の創立者聖イグナチオ・デ・ロヨラは『霊操』[6]の中で、私たちの心の動きには大きく分けて「慰め」と「荒み」があると言いました。「慰め」とは、神の臨在やいのちを感じ、心が生き生きとし、平安があり、喜びや感謝を感じるときです。「荒み」はそれとは逆に、神から切り離されたように感じ、気力が削がれ、心がざわつき、いら立ち、怒り、苦み、恐れ、落胆、不安などを感じます。自分の心が聖霊に反応して慰めの状態にあるのか、それとも聖霊の流れから外れて荒みの中にあるのかを見分けるのです（「霊動弁別の規則」）。

さらにイグナチオは識別にあたって、「聖なる不偏心」についても語っています。それは、キリストと一つにされることと神の国だけを求め、特定の結果に執着しないという心の状態です。富、出世、名声、安定などの世的な価値や、自分が欲する特定の結果に対する執着からの内なる自由があって初めて、神の導きや召しに自由に応答することができるからです。

これ以外にも、クエーカー（キリスト友会）の伝統による「クリアネス・コミッティー」という識別の方法もあります。五〜六人の小グループで、識別したいことを抱えている人にさまざまな問いかけをし、本人が思い巡らしながら神の御声を明確にしていくプロセスを助けるものです。

霊的同伴者は、被同伴者が自分の心の動きに注意を払い、客観的状況も吟味しつつ、神の導きがどこにあるのかを識別するプロセスに伴うこともします。被同伴者の思い巡らしを助けるような問いかけをしたり、被同伴者が荒みの状態にあるときに支えを差し出したりします。

性格タイプ論

マルホーランドは、『みことばによって形造られる』の補遺で、次のように述べています。

近年、霊的形成への関心が高まっていますが、そこには弱点があります。それは、「誰にでも同じように当てはまる」という立場を取っていると思しき霊的形成の教材の急増です。そういった教材は、霊的形成のための明確なプログラムやテクニック、方法を提示します。それが暗に示唆するのは、そのプログラムに参加しさえすれば誰でも成熟した霊性に到達できるという考えです。しかしながら、霊的形成とは、個人的な個別の旅路です。一人の人に役立つことが、ほかの人にも役立つとは限らないのです。（中略）性格タイプの心理学的理解や人生の心理学的発達段階を意識することは、各人が自分固有の霊的形成の旅路を歩む上で特に有益です。[7]

マルホーランドも指摘するように、霊的旅路は一人ひとり異なるものであり、その人が神との関係を深めていく道のりも、その表れ方も独自なものとなります。それは、神が人間を一人ひとり異なる人格を持つ多様な存在として造られたからです。霊的同伴で性格タイプも考慮に入れるのは、心理学的ツールを駆使して心理学者の真似をするためではなく、一人ひとりを造られた多様で聖なる神の創造の御業を認めるからです。

次にいくつかの性格タイプ論を挙げますが、同伴者が被同伴者の性格診断をするわけではないので、同伴者がこれらの性格タイプ論の専門家である必要はありません。しかし性格タイプの違いについて基本的な理解を持っておくことは、被同伴者の歩みを自分自身や他者の歩みと比べることなく、そのままで受け入れる助けになるでしょう。また、被同伴者が神に造られた真の自分を見出すための道のりを励ます助けもになるでしょう。

マイヤーズ・ブリックスタイプ指標〈ＭＢＴＩ〉

ＭＢＴＩは、スイスの精神科医Ｃ・Ｇ・ユングの性格類型論に基づいて開発された心理計測法です。日本ＭＢＴＩ協会のウェブサイトでは、次のように説明されています。

ＭＢＴＩは、一人ひとりの性格を心の機能と態度の側面からみたものです。それらは、「ものの見方（感覚・直観）」と「判断のしかた（思考・感情）」及び「興味関心の方向（外向・内向）」と「外界への接し方（判断的態度・知覚的態度）」の四指標であらわされ、一六タイプに分類してとらえようとします。ＭＢＴＩは、一六タイプそれぞれの強み、特徴、そしてその人の今後の課題を整理し、個人の成長や人と人との違いを理解し、周囲の人との人間関係作りにも役立てることができます。（https://www.mbti.or.jp/what/what1.php）

マルホーランドは、霊的形成の旅路を歩む上でこうした性格タイプ論を考慮に入れることについて、次のような注目すべきことを述べています（前掲書）。これは、同伴者も意識しておくといい点だと思います。

性格タイプのこの複雑さは、私たちの霊的形成に深遠な意味を持ちます。外向的な人は、共同体での霊性から非常に豊かにされます。礼拝（特に他者との交流が強調されるようなもの）やスモールグループでの体験、また分かち合ったりケアし合ったりすることは、外向的な人にとってとても重要です。一方で内向的な人は、単独での霊性から非常に豊かにされます。独りの時間（ソリチュード）、沈黙、黙想会（静まりのリトリート）への参加、読書などは、内向的な人にとってとても重要です。（中略）しかしながら、霊的形成に関して心理タイプが示唆する最も重要なことは、完全さ（ホールネス）に向かいたいなら、自分の性格の優勢な傾向と二次的な傾向の両方を養う必要があるということです。霊的形成が不充分になりがちなのはここです。多くの場合、人は自分に合った霊的修練や実践を取り入れたがります。そのため、自分にとって優勢な傾向ばかりを養い、二次的な傾向は悲惨なまでに放置されがちなのです。[8]

エニアグラム

「エニアグラム」は人の性格特性を九つに分類するもので、科学的根拠に弱さがあると言われることもありますが、その手軽さや資料の入手しやすさからよく使われています。日本エニアグラム研究所のウェブサイトには、次のような説明があります。

エニアグラムとは、ギリシャ語で「九の図」という意味の幾何学図形であり、この図形をシンボルとして発展した性格タイプ論です。それは人間を九つの基本的な性格に分類したもので、それぞれの性格の働きを描いた〈こころの地図〉と言えます。エニアグラムは少なくともギリシャ哲学に遡(さかのぼ)るルーツをもち、現代では心理学的研究が急速に進んで発展してきました。現在、もっとも効果的な自己成長のシステムのひとつとして、ビジネス、コーチング、カウンセリング、教育などのさまざまな分野に取り入れられています。

エニアグラムは、九つの性格タイプごとの世界観や動機、特性などについて、驚異的なまでの理解を可能にします。また、習慣的思考・感情・行動パターンについて、タイプごとにきわめて具体的に示してくれます。エニアグラムは、性格の自動的パターンからもっと自由になり、本来の自分の豊かさに触れ、成長していくためのものです。対人関係においても、性格の違いからくるすれ違いや葛藤に留まるのではなく、お互いを活かし合い、成長していくための助けになります。（http://www.enneagram-japan.com/enneagram/）

ジョン・オートバーグ著『神が造られた「最高の私」になる』[9]でも、エニアグラムに触れられています。詳しくはそちらを参照ください。また、一般の解説書もたくさん出ています。

「神に近づく道」

これは、ゲアリー・トーマス（牧師、著述家）が、『神に近づく聖なる道』[10]（邦訳未刊）の中で論じた、いわば霊的気質です。性格にさまざまな気質があるように、霊的にも、いつ神を近くに感じ、どんな活動を通して神との関係を深めるのかにいくつかのタイプがあり、それぞれ傾向が異なると言っています。

たとえば、賛美しているときに特に神を近くに感じる人もいれば、大自然の中にいるときに神を近く感じるという人もいるでしょう。本を読んだり学びをしたりすることでより深く神とつながれると感じる人もいれば、奉仕活動をしているときに神とより深くつながれると感じる人もいるでしょう。

ゲアリー・トーマスは、それぞれの人に合った神に近づく方法を「聖なる道」と呼び、以下の九つを挙げました。

①自然をとおして

自然に触れることで神を愛する。山や海や森など、神の造られた自然に囲まれているとき、特に神を近くに感じる。

②感覚をとおして

五感を通して神を愛する。神の偉大さや美しさを感じさせる建築物や美術、音楽、芸術などに触れるとき、特に神を近くに感じる。

③伝統をとおして

儀式やシンボルを通して主を愛する。祈祷書を使って祈ったり、伝統的な形式の礼拝に参加したりするとき、特に神を近くに感じる。

④修道的生き方をとおして

独りでいること（ソリチュード）や簡素さを通して神を愛する。一人で祈祷院に一日こもるなど、何の邪魔も入らないような環境で神に思いを向けるとき、特に神を近くに感じる。

⑤活動をとおして

義のために対決することを通して神を愛する。社会活動や伝道活動などに参加し、神の義の実現のために戦っているとき、特に神を近くに感じる。

⑥奉仕をとおして

他者を愛することを通して神を愛する。貧しい人、病気の人、虐（しいた）げられている人、困っている人の中に神を見、その人たちに仕えるとき、特に神を近くに感じる。

⑦情熱をとおして

歌や踊りをもって情熱的に礼拝することで神を愛する。そのように主を賛美し、熱く祈っているとき、特に神を近くに感じる。

⑧ **観想をとおして**

深い崇拝を通して神を愛する。神が私の魂にそっと触れ、私を愛していると語ってくださるとき、私の神への思慕をかきたてられるとき、特に神を近くに感じる。

⑨ **知性をとおして**

知性を用いて神を愛する。神について新しい理解や洞察が与えられたとき、特に神を近くに感じる。

霊的成長の段階モデル

霊的同伴者となる学びの中で私にとって特に有益だったものに、霊的成長の段階のモデルとも呼べるものがあります。もちろん実際は、人は厳密に段階を追って成長するものではなく、行きつ戻りつしながら、寄り道しながら成長するものです。その道のりのすべてに意味があるので、「成長段階のモデル」という言い方は誤解を生むかもしれず、適切でないかもしれません。しかしここでは便宜上、そのように呼んでおきます。

ハグバーグのモデル

次に紹介するのは、ジャネット・O・ハグバーグ（霊的同伴者、著述家）の『重要な旅路―信仰生活における段階』[11]（邦訳未刊）という本に記述されているものです。

第一段階：神を認める――神の発見・認識
第二段階：弟子としての生活――神について学ぶこと
第三段階：生産的な生活――神に仕えること、奉仕
第四段階：内面に向かう旅――神の再発見
〈壁〉――自分で築いてきた信仰や白黒が明確な神像では間に合わない現実にぶつかる
第五段階：外に向かう旅――神への明け渡し
第六段階：愛の生活――神（その姿や性質）を反映させる

霊的成長のプロセスは、これらの段階を必ずしも一直線に進むのではなく、行ったり来たりしたり、一つの段階にしばらくとどまったりすることもあります。また、複数の段階にまたがって体験することもあります。著者いわく、このような段階の順序の意味するところは、人はいきなり途中の段階から始めたり、間の段階を飛ばして先に進んだりすることはない、ということです。

また、次の段階に進んだら、その前の段階はもう卒業したというものでもなく、むしろ前の段階の上に積み上げられていくように、次の段階に進むたびに以前の段階もずっと含まれていくものだと言います。さらに、のちの段階にいる人は前の段階にいる人よりも「良い」という意味ではありません。それはちょうど、子どもから大人に成長していくようなもので、たとえば三歳児は一〇歳児に比べて劣るとか、中年はティーンエイジャーより本質的に「良い」かといえば、決してそうではないのと同じです。それぞれの段階にそれぞれの麗しさがあり、神の計画があるのです。大切なことは、一つの段階にとどまったままになり、次の段階に進めなくなってしまわないことです。

一～三段階は、もっぱら外的な基準に規定されます。たとえば教会・教派の信仰基準や信条、自分が影響を受けている霊的リーダーや著者など。

四～六段階は、外から規定されることのできない、人それぞれに異なる内面的な変容のプロセスになります。これらの段階で起こることは、各自の背景や性格や境遇などがかかわってくるため、一般化できないユニークなものになります。この段階を通っていく中で、内的な癒しを体験する、内面と外面の分断が統合されるなどして、霊的・人格的な健全さへと向かいます。

興味深いのは、ハグバーグは、教会の働きとはもっぱら第一～三段階にいる人たちに向けられていると述べていることです。言われてみれば確かに、伝道、弟子訓練、奉仕といった教会が熱心に取り組んでいることは、どれも最初の三段階に属しています。もちろんこれらのことは、四段階以降にいる人たちにも有益で必要なことですが、教会として、あるいは団体として、プログラムを組んで組織的になすような働きは、往々にして第三段階までの人たちのニーズに沿っているのではないでしょうか。信徒が成長して壁に突き当たったとき、疑問や疑いを感じ始めたとき、それを信仰生活の後退や権威への反発のように見なして第二、第三段階に連れ戻そうとするのでなく、成長過程で当然起こることとして歓迎し、次の段階に進めるようほうまくサポートしてあげることが大切になると思います。

霊的同伴を求めてやってくる人は、まさにこの「壁」の段階にいて、なかなか教会でサポートしてもらえないケースが多いという印象があります。彼らの多くは、自分が感じていること、体験していることは、教会で分かち合う場がないと言います。そのため霊的同伴は彼らにとって、それらを分かち合い、深く思索するための安全な場所、いのち綱になるのです。

クラウドのモデル

ここで、もう一つの霊的な成長段階のモデルを紹介します。ハグバーグのものと似ていますが、興味深い洞察が含まれているので言及したいと思います。これは、『境界線』など数々の邦訳書があるクリスチャン心理学者ヘンリー・クラウドが、一〇年以上前にウィロークリーク協会のリーダー向け研修会で語っていたモデルです。

第一段階　信仰を持たない状態
第二段階　「クリスチャンはこうあるべき」といった形式や規律によって支えられる信仰
第三段階　荒野・壁
第四段階　「ルール」よりも「関係」によって動機づけられ、内側にキリストのいのちが形造られることによって支えられる、神秘的かつ現実的な信仰

このモデルと先のハグバーグのモデルを比べてみると、先の第一段階はクラウドの第一段階に対応し、先の二、三段階がここでの第二段階（形式的・規律的）に対応し、壁を含んだ先の第四段階がここでの第三段階（荒野）に対応し、五、六段階がクラウドの第四段階（神秘的かつ現実的）に対応しているように思えます。

このモデルで興味深いのは、四番目の神秘的かつ現実的な信仰の段階です。神秘的と現実的とは、必ずしも合致する概念でないように思えます。にもかかわらず、クラウドはより成熟した信仰を「神秘的かつ現実的」と呼んでいるのです。これはいったいどういう意味でしょうか。

神秘、ミステリーとは、キリスト教信仰に不可欠な側面だと思います。神ご自身がミステリーを含むお方だからです。キリスト教の歴史には、キリスト教神秘主義者と呼ばれる聖人も少なからずいました。たとえば本章の最初のほうで触れたスペインの聖人アビラのテレサは、神

秘主義者として知られています。しかし彼女は、同時にカルメル会の改革者としても知られています。彼女は祈りに集中する隠遁生活をしていただけではなく、精力的にスペイン国内を旅して複数の新しい修道院を創立し、カルメル会を立て直した活動家でもありました。このように、過去には神秘性と実践的・活動的であることは調和していたのです。

神秘的かつ現実的であるとは

しかし一七世紀以降、啓蒙思想が広がってからは、教会の中でも理性や合理性が重視されるようになりました。それにつれて神秘性が駆逐されていったのかもしれません。そしてその反動からか、二〇世紀後半になって神秘体験を重視するニューエイジのような擬似宗教が興ってきました。また、禅や瞑想といった東洋的神秘主義への関心が若い世代で高まりました。

そのため現在では、神秘的なものを求めようとすると、ニューエイジだとか仏教的だとか言われたりすることもあるようです。しかし本来、神秘そのものが危険だということではないはずです。実際、確かにクリスチャンがかかわるべきでないものも少なからずあると思います。もしかすると、キリスト教における神秘性の回復こそ、今、必要とされているのかもしれません。ただしそれは、神秘的な「体験」を追求することではなく、あくまでもキリストご自身を求めるということです。

現代の私たちは、神のことも知的に、理性的に、合理的に考えようとする傾向があるようです。しかし、神秘的というのは、神のミステリー（奥義）をミステリーとして、すなわち私たちには理解しきれないものとして、受け入れられるようになることなのかもしれません。つまり、自分の理性や知性で理解しきれないこと、自分には隠されているもの、白か黒か明確に分けられないものも、あるがままに受け入れられるようになる、ということです。

さらに言うならば、神秘を受け入れるとは、自分は神ではないことを認め、神を神とすることを良しとすることでもあるでしょう。すべてを自分で説明したり納得したりできなくても、一から一〇まで自分でお膳立てできなくても、自分のアジェンダを手放しても、結果をコントロールしたり見たりできなくても、神の国の「すでに」と「いまだ」のあいだに生きることによる緊張感を引き受け、善いお方である神への絶対的な信頼ゆえに「It is well with my soul（私の魂はそれを良しとする）」（賛美歌「安けさは川のごとく」の英語のタイトル）と言えること、それが「神秘的」であることではないでしょうか。

そして現実的とは、神が神であり自分は神ではないことを認めた上で、神のかたちに造られた者、キリストのからだなる教会に連なる者として、この世で自分にできること、なすべき良いことを、具体的に粛々（しゅくしゅく）と行うことなのかもしれません。その両方が統合されている姿が、神秘的で現実的な信仰者の姿なのではないでしょうか。

1 Richard J. Foster, *Streams of Living Water: Celebrating the Great Traditions of Christian Faith*, HarperOne, 2001
2 M・ロバート・マルホーランド・Jr『みことばによって形造られる』中村佐知訳 地引網出版『舟の右側』二〇一九年一月号〜二〇二〇年五月号連載 M. Robert Mulholland Jr. *Shaped by the Word: The Power of Scripture in Spiritual Formation*, Upper Room, 2001
3 St. John of the Cross, *Dark Night (the Declaración)*『暗夜』ドン・ボスコ社 一九八七年
4 Gerald May, *The Dark Night of the Soul: A Psychiatrist Explores the Connection Between Darkness and Spiritual Growth*, HarperOne, 2005
5 Henri J.M. Nouwen, *Discernment: Reading the Signs of Daily Life*, HarperOne, 2015
6 イグナチオ・デ・ロヨラ 前掲書
7 M・R・マルホーランド 前掲書 二〇二〇年五月号
8 前掲書
9 ジョン・オートバーグ『神が造られた「最高の私」になる』中村佐知訳 地引網出版 二〇一五年
10 Gary Thomas, *Sacred Pathways: Discover Your Soul's Path to God*, Zondervan, 2010
11 Janet O. Hagberg, *The Critical Journey: Stages in the Life of Faith*, Sheffield Publishing Company, 2004

第Ⅲ部　霊的同伴の実践

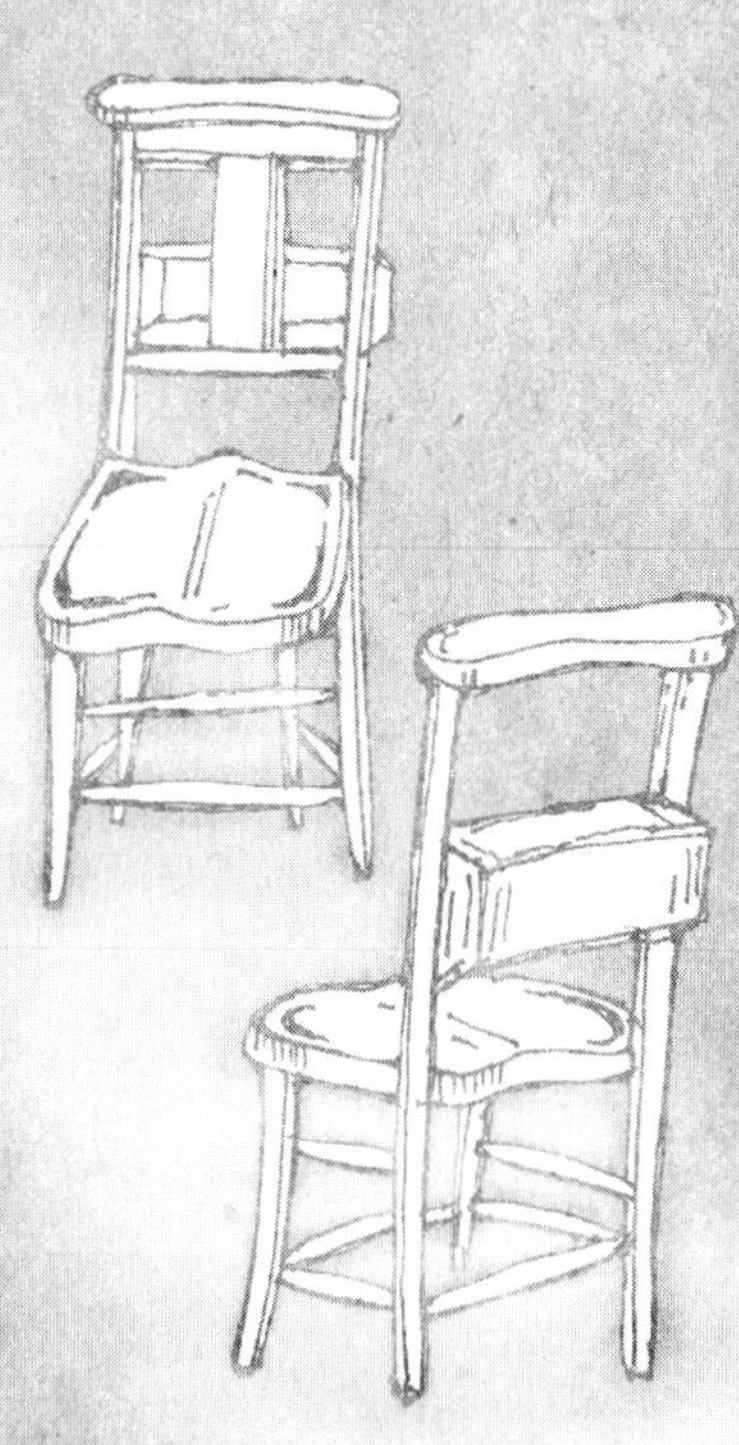

神を見て、あなたを見る。
そして神を見続ける。

ノーウィッチのジュリアン
（とりなしの祈りについて聞かれたときの返答）

第7章　霊的同伴のセッション

ここまで、おもに同伴者側のことを見てきましたが、この章では被同伴者、つまり霊的同伴を受ける側についてと、そのセッションで起こることについて見ていきます。

誰が霊的同伴を受けるのか

「神との関係を深めたい」「いつも共におられる神にもっと目を向けつつ歩みたい」と願う人であれば、基本的に誰にでも開かれています。霊的同伴は、対処や判断が難しい課題や困難を抱える人だけのものではありません。一般的に、カウンセリングなどを受ける人は、早急に取り扱いたい何らかのニーズがあって援助を求めに来るものです。しかし霊的同伴を受ける人は、そのような緊急のニーズがあるとは限りません。特に大きな問題のないときや、霊的に安定しているときから神に目を向け続けることで、いつ来るか分からない（しかしいずれ必ず来る）困難に向けて整えられることができます。

また、霊性とは日常生活における神との関係に深くかかわるものです。「霊的高み」のような特別な体験に限らず、何の変哲もない日々の生活の中に神の臨在や恵みを見出したいと願う人にとっても、霊的同伴は適しています。祈りや生活における自分の神体験（頭で理解している神についての知識ではなく）を振り返り、それが意味するところを思い巡らしたい、自分の召命や人生の意味について考えたい、自分が体験している喜びや悲しみや葛藤などをたどってじっくり味わいたい、といった願いのある人たちに、霊的同伴は安全な場所を提供します。

基本的に誰にでも開かれていますが、特に次のような人たちにとっては、いっそう意味のある体験になるでしょう。

信仰の転換期にある人

ジャネット・バッキは、霊的同伴が特に役に立つであろう人として、第一に信仰の転換期にある人を挙げています。[1]

イエスは昨日も今日もいつまでも変わらないお方です（ヘブル13・8）。しかし、私たちはそうではありません。年を重ね、知識や経験を積んでいく中で、視野が広がったり、何かに対する確信が強まったり、あるいは弱まったり、興味の対象が変わったりなど、さまざまな変化を体験します。生活環境や社会情勢といった私たちを取り巻く外側の状況の変化も、私たちの考えや行動に影響を与えます。みことばそのものは変わらなくても、神学やみことばの解釈の仕方が変化することもあります。挫折や行き詰まりを体験し、自分の信仰の見直しを迫られる人もいるかもしれません。そのような変化を通る中で、私たちの神観や神との関係、信仰のあり方に変化が生じても不思議ではないでしょう。

ときには、自分が思っていた神とは違う、自分が思っていた神だったらこんなことは許さないはずだ、こんなことは起こらないはずだと思い、葛藤することもあります。そういうときは、自分が持っていた限られた神観が修正されるとき、より広げられていくときでもあります。神観だけではありません。祈り方やみことばの理解も変わっていくかもしれません。それは少しも悪いことではないのです。旅路が進んでいけば、見えてくる景色も当然変わります。C・S・ルイスも、妻を亡くしたあとの悲嘆の中で書いた『悲しみを見つめて』で、このように述べています。

私が持っている神観は、神ご自身の考えではない。私の神観は何度でも打ち砕かれなくてはならない。神ご自身がそれを打ち砕く。神は偉大なる聖像破壊主義者だ。神観が打ち砕かれることこそ、神の臨在がそこにあるしるしの一つだと言ってもいいのではないだろうか。[2]

しかし、そのような変化は、ときとして非常に居心地の悪いものをもたらすことがあります。今まで当然のこととして理解し受け入れていたものに、疑問を感じ始めるかもしれません。以前と同じように祈ったり、賛美したりできなくなっている自分に気づくかもしれません。これまで何でも話すことのできた教会や家族、親友との間に、距離を感じ始めるかもしれません。

さらには、自分の信仰の土台が崩されていくように感じることさえあります。そうなると、「私の信仰は後退しているのだろうか、私はおかしくなってしまったのだろうか」と、不安や混乱を覚えるかもしれません。それは恐ろしい体験でしょう。しかしそのような体験は、必ずしも悪いことでも珍しいことでもないのです。

そのような信仰の転換期（「脱構築」と呼ばれることもあります）にあるとき、霊的同伴はそれらについて神の導きを模索するための安全な場所を提供します。同伴者が代わりに答えを出すことはしません。被同伴者に代わって神の御声を聴くこともしません。同伴者は、本人がその変化の中におられる神を見出し、そこにある神の招きに気づいて、自らで応答できるよう助けます。――この変化の意味はいったい何なのか、神はそこで何を語り、どこに招いておられるのか、これを通して私はどのように応答し、どのようにキリストに似た者に変えられていくのか……。被同伴者がそれらを探求する道のりに同伴者は伴い、そのプロセスを助けます。

大きな決断や選択を迫られている人

ローマ書一二章二節には、「この世と調子を合わせてはいけません。むしろ、心を新たにすることで、自分を変えていただきなさい。そうすれば、神のみこころは何か、すなわち、何が良いことで、神に喜ばれ、完全であるのかを見分けるようになります」（強調は中村）とあります。神はどのように私を導いておられるのか、自分の中に湧いてくる考えや思い、また周囲で起こっていることは神から来ているのか、それとも神以外のものから来ているのか、それらを見分けることを「霊的識別（霊の識別）」と言います（本章6章）。

神のみこころを求めるとは、神の御声を聴き分けていくことにほかなりません。これは神が私に語っておられることだろうか、誰か他の人の考えや期待だろうか、それとも自分自身の思いなのか、はたまた悪しき者が放つ火矢（エペソ6・16）なのか……そのような識別は、日常的に行っていることでしょうが、進路、結婚、献身など、人生の大きな岐路に立つときは、いっそう重要になるでしょう。霊的同伴者は、被同伴者がそのような大きな決断や選択に迫られているとき、会話を通してその識別のプロセスを手伝います。

牧師、団体リーダー、その他リーダーシップをとる立場にある人

パーカー・パルマーは、こう言っています。

リーダーとは自分の内面、自分の意識の中で起こっていることについて特別な責任を負う者でなくてはならない。そうでなければ、その人のリーダーシップは善を生み出すよりも多くの害をもたらすことになる。[3]

リーダーの立場にいる人は、自分の弱みや悩みを話せる相手が身近にいなかったり、何かと批判の対象になったり、逆に理想化されたりと、なかなか真の自分を見てもらえず孤独になりやすいものです。霊的同伴はそうしたリーダーたちにも、外からの批判を恐れずに正直に自分の内面を探り、その変化をたどっていける場を提供します。

ゴードン・T・スミスは、霊的同伴から恩恵を受けるであろう人たちの筆頭に、牧師を含むすべての宗教的リーダーを挙げています。スミスは、「リーダーたちは自らの継続的霊的形成のために霊的同伴を受けるべきだ」と言い、自分自身についても、「私が人を教え導く立場にいる限り、霊的同伴を受け続けるべきだと思っている」[4]と述べています。

ノンクリスチャンと霊的同伴

なお、「クリスチャンではない人が霊的同伴を受けることは可能ですか？」と聞かれることがあります。答えは「はい」であり「いいえ」です。霊的同伴は、すでに言及したように、キリスト教徒の間だけで行われるものではありません。仏教の霊的同伴もあれば、イスラム教の霊的同伴もあります。しかしそれは驚くに値するものではありません。祈りも、賛美も、礼拝も、黙想も、キリスト教だけのものではなく、ほかの宗教にもあるからです。

ほかの宗教にあるものだからといって、それが異教的であるとか、クリスチャンにふさわしくないというものではありません。先に述べたように、人間は皆、霊的な存在なのです。その意味で、クリスチャンではない人が霊的同伴を受けることは可能です。ただし、クリスチャンの同伴者が、クリスチャンではない人の同伴をするかどうかは、その人の方針しだいだと思います。

「求道者が霊的同伴を受けることは可能ですか？」と聞かれることもあります。イエスを救い主としてはっきり受け入れていない人であっても、自分を超えた存在に向かって祈り、神と呼ばれる方を知りたいと求めている人であるなら、可能だと思います。ただし、伝道の手段として行うのはふさわしくないかもしれません。というのも、たとえ伝道であっても、同伴者が被同伴者を特定の方向に導きたいという計画（アジェンダ）を持って霊的同伴に臨むことは、同伴の本来の性質にそぐわないからです。

伝道目的であれば、聖書の学びなど、別の形のアプローチのほうがいいのではないでしょうか。それでも、相手があえて霊的同伴という形で会話をしたいのであれば、聖霊の導きに委ねつつ、同伴することは可能だと思います。

同伴での会話のトピック

前述のG・T・スミスは、霊的同伴での会話とは、「定期的になされる意図的な集中した会話[5]」だと言いました。会議のように、話すべき課題や決定すべき事柄があるわけではありません。面接官とのやり取りのように、自分が評価されるために用意された質問に答えるものでもありません。しかし、ただのおしゃべりや雑談でもありません。その「意図的な集中した会話」では、どんなことについて話すのでしょうか。

会話の話題自体は、その人の生活の中で起こっていることや感じていることなど、その人の心に留まっていることであれば何でもかまいません。心に留まっているということは、そのことを通して聖霊が何かを語りかけ、働きかけておられる可能性があるからです。いわゆる「霊的」な事柄である必要もありません。子育てや夫婦関係など家庭生活にかかわること、あるいは仕事やミニストリーに関すること。人間関係、生活のペース、あるいは体調に関すること。近ごろ考えていることや印象に残る最近の出来事、自分の願望や計画。もちろん、日々の祈りや霊的実践・修練、またそれを通して体験していることや神からの語りかけ、または神秘的と言える体験について話すこともあるでしょう。

何が話題に上るとしても、注目すべきは表面的に何が起こっているか、何をしているかではありません。その中で被同伴者がどんな感情を体験しているか——喜びや悲しみ、恐れや不安、ためらいや焦り、感動や安心、怒りや諦め、失望や希望、期待や感謝——に目を向けます。そういった感情や感覚は往々にして、神の臨在または不在に対する私たちの反応だからです。そこで、それらの感情や感覚がどこから来ているのか、また何を意味しているのかを探るために、同伴者はさまざまな問いかけをしながら、被同伴者が自分の魂の深みに降りていくのを手伝います。

また、それらの感情の背後にあるその人の神観や神との関係にも目を向けていきます。同伴者は、被同伴者が分かち合うことの中やその言葉の端々から、神がどのように働いておられるのか、どこに神がおられるのか、注意を払いながら耳を傾けます。そしてその部分に関して、さらに詳しく話を聞きます。また、被同伴者が神の臨在や語りかけに対してどのように応答しているか、あるいは抵抗しているか、どのように神に近づいているか、あるいは神から離れようとしているか、といったことにも注意を払います。それは、同伴者が被同伴者について何かを判断したり評価したりするためではなく、被同伴者が自らそれらのことに注意を払うことを助けるためです。

そういうわけで、霊的同伴でのトピックは何でもありうるのですが、究極的な焦点はいつでも、その人と神との関係です。神がその人の生活のどこでどのように働いておられ、その人がそれに対してどう応答しているか、です。同伴のセッションの前半では、今どんなことが起きていて、どう感じているかなどについて、たとえ漠然と話していても、会話が進むうちに、そこにおられる神とそれに対する被同伴者の応答へと焦点が向かう場合が多いものです。ただし、同伴者がそのように会話を誘導するのではなく、聖霊の導きにまかせます。会話しながら、それがどこへ向かっていくのか、同伴者にも分かりません。その日の会話の終わりごろになって、「ああ、神様は今日、こういうことを私たちに示したかったのか！」と驚くことが多々あります。

さらに、セッションの最中にしばらく沈黙して、一緒に神の御声に耳を傾けるときもあります。会話の中で被同伴者、あるいは同伴者に示されたみことばやイメージを用いて、しばらく黙想の時間を取ることもあります。

自分の内面について語る

霊的同伴では、自分の内面で起こっていることについて語りますが、同伴を受け始めたばかりのころは、自分の内面について語ることに困難を覚える人も少なくありません。無意識のうちに避ける人もいれば、自分で自分の内面にある心の動きについて気づいていない、あるいは気づいていても、それを言葉でうまく表現できないということもあるでしょう。バリーとコノリーは、それについてこう述べています。

ほとんどの人は、自分の深いところにある感情や態度について初めて語ろうとするとき、うまく言葉で表現できない。神との関係について語るとなると、ますます言葉が見つからないだろう。「祈りの中で神を見たとき、神はどんなふうに感じられましたか？」と聞かれると、最初は何と答えていいのか分からないものだ。

人間関係については具体的に自分の言葉で語ることのできる人でも、この問いには当惑する。「神は善いお方で、聖なる創造主です」とか、神学的素養のある人なら、「神はあらゆる存在の根本原因たるお方で、存在の基礎です」など、純粋に客観的な表現に頼るだろう。言語化できないことは障壁になるが、その壁は徐々に崩されていくものであり、力づくで突破することはできない。自分の内面について語れるようになるためには、内的経験を言語化する能力という、言わば新しい言語が必要なのである。[6]

たとえば、同伴を受け始めて初期のころは、自分の仕事や働きの内容と成果ばかり話す人もいます。おそらく、それがその人の関心事であるか、あるいはそういう観点から話すことに慣れているからでしょう。それらについて話してもかまわないのですが、霊的同伴で目を向けるのは、どういう働きをしているかではなく、その働きの中でその人がどのような心の動き（霊の動き）を体験しているかです。

同伴者は、働きの現場における人間関係や、その活動をする中で被同伴者がどこで生き生きとした喜びや活力を感じているか、どこで疲弊（ひへい）感やいら立ちや失望などを感じているか、神との関係、他者との関係、自分自身との関係はどうだったかなどについて尋ねるでしょう。そしてそれらを通して神からどんな御声を聞き、自分はそれにどう応答しているか、そこに目を向けることを助けます。繰り返しますが、同伴の目的は問題解決や人生相談ではなく、被同伴者が神との関係を深めるのを助けることにあるからです。

バリーとコノリーは霊的同伴のセッションで自分の内面を語ることについて、続けてこのように語っています。

> 気づく力と気づいたことを表現する能力を発達させるためには、まず自分の人生体験や霊的同伴を受けようと思うに至った理由を語るといいだろう。そして自分の現在の祈りの中で起こっていることについて語ってみることで、その能力を育て続けることができる。最初のうちは、自分の最近の祈りについて次のように言うかもしれない。「よかったです。職場はとても騒がしいので、一人だけになる時間を持てたことに感謝しました」とか、「特に得たものはありません。聖書箇所は興味深かったですが、それにずっと集中するのが難

しかったです。もっとほかの箇所はありませんか?」とか。

祈りの体験を表現する新しい言語を習得するには、同伴者の助けが必要だ。同伴者はこのように言うだろう。「何が起こったのか、もう少し話してみましょう。これらのみことばの中で、どこがいちばん響いてきましたか?　どこにハッとさせられましたか?　どんなふうに感じましたか?」。被同伴者は、「『感じる』とはどういう意味ですか?」と聞き返すかもしれない。しかしこういった問いかけによって、もっと洞察を持って自分の体験を見るようになり、そこで自分が気づいたことを表現しようと試みるようになるだろう。

初めのころは注意力が続かなかったり、表現がぎこちなかったりするが、励ましを与えることで、案外早くうまく言葉で表現できるようになっていくものだ。自分の体験は語るに価するものだと確信すると、内面で起こっていることにもっと気づくようになり、そのうち、ためらいなくもっとはっきりと表現できるようになる。[7]

同伴者が差し出すもの

では同伴者は、セッションの中でどんなことを被同伴者に差し出すのでしょうか。いろいろありますが、三つほど例を挙げてみます。

(1) 被同伴者の話を聞きながら浮かんできたイメージや言葉や感情など

「あなたの話を聞いて、『解放』という言葉が浮かんできました」。「あなたの話を聞きながら、波乗りをしている人のイメージが浮かびました」。「それを聞いたとき、喜び（悲しみ）を感じました」。

(2) 相手の話や仕草などから気づいたこと

「あなたが今話してくださったことと、さっき言っていたこととには、……という共通点（同じパターンやテーマ）があるように感じます」。「あなたがそれについて語っていたとき、握りこぶしを作っていることに気づきました」。「そのことについて語りながら、あなたは涙を拭いておられましたね」。「あなたが……という言葉を用いていたことが印象に残りました」。

(3) 問いかけ

「その状況の中で、神様はどこにおられると思いますか？」「その状況における神様の臨在（または不在）は、あなたにどのように感じられますか？」「それについて祈ってみましたか？（もし祈っていないなら）なぜ祈っていないのだと思いますか？（祈っているなら）祈ったときどう感じましたか？」「あなたは今、神様に何と言いたいですか？」「その状況で、イエス様にどんなふうに助けてほしいですか？　どこに神様の恵みを必要としていますか？」「先ほど……

とおっしゃっていましたが、それについてもう少しお話しいただけますか？」「以前にもそのように感じたことはありますか？　それはどんなときでしたか？」「先ほど、神様の愛をもっと感じたいとおっしゃっていましたね。これまでにあなたはどういうときに神の愛を感じてきましたか？　それはあなたにとってどのような体験でしたか？」「祈ることは、最近あなたにとってどのように感じられますか？」「この体験をとおして、あなたの神様のイメージはどのように変化しましたか？」「ここに、神様からの招きを何か感じますか？　それはどんな招きですか？」

同伴セッションでなされる問いかけは、被同伴者から「正解」を引き出そうとするものではありません。同伴者の好奇心を満たすためのものでもありません。問いかけをするときはいつでも優しさをもって尋ねることを心がけます。決して詰問調になったり、さも相手が間違ったことを言ったかのような尋ね方になったりしないようにします。霊的同伴者アリス・フライリングは、同伴の中での問いかけについてこう述べています。

霊的同伴では、被同伴者の現在の状態と体験がどのようなものであるかに目を向けます。問うべきことは「私の人生はどうあるべきか」ではなく、「私の人生で今、実際に何が起こっているのか」です。今、ここでの状況の中に神を探すのです。なぜなら、自分の人生

の中で今自分がいる場所こそ、私たちが神を見出す場所だからです。[8]（強調は中村）

同伴者がすべきではないこと

では、セッションの最中に同伴者がすべきでないことはあるでしょうか。もちろんいろいろありますが、以下に代表的なものを挙げます。

(1) 自分のことを語り出す

被同伴者の体験が自分にもあるものだと、「私もそういう経験があってね」とつい自分の話をしたくなるものです。しかしたとえ共感を示すつもりでも、自分のことを話し出すと話の焦点が同伴者に移ってしまいます。相手から特に聞かせてほしいと頼まれない限り、自分のことを話すのはせいぜい一言二言にとどめましょう。自分の経験を分かち合うとしても、それは被同伴者が自分の状況や感情により注意を払うのを助けるためであり、必ず相手の状況に話を戻します。

(2) 自分の意見を言う。評価をくだす

同伴の鉄則として、ノンジャッジメンタル、つまり判断や評価を下したり、先入観や思い

込みで決めつけたりせず、相手の話をそのまま受け取ることがあります。相手がどうしたらいいかと迷っているときも、同伴者は自分の意見を言うのでなく、その人が自分を振り返りつつ、また神に祈りつつ、自分で判断できるように助けます。被同伴者が感じていることについても、「……ですよね」とこちらが思ったことを断定的に言うのでなく、「……と感じたのですか?」と確認します。なるべく被同伴者が自分の言葉で言い換えることを励まします。

(3) 教える口調になる

会話の流れで、相手に有益と思えることを分かち合うことはかまいませんが、被同伴者のそのときのニーズを超えた、一方的な講義はしないようにします。自分がよく知っているトピックだと、ついとうとうと語りたくなるかもしれません。自分が知っているから語るのではなく、相手にとって、その知識、その情報が有益かどうかを考えた上で分かち合います。何かを語るように聖霊に示されたように感じたとしても、「聖霊に示された」と決めつけず、相手がそれをどう受け取るかを自分で決めることのできるスペースを残します。

(4) 矯正しようとしたり悔い改めさせようとしたりする

ときには、被同伴者が何らかの罪を告白したり、悪習慣を打ち明けたりすることもあるかもしれません。その場合も、「それはいけませんね、悔い改めましょう」と一足飛びに模範解答に行くのでなく、どういう状況の中でそういった行動が出てきているのか、どういう葛藤があるのか、本人はどうしたいと思っているのか、まず相手の言葉と感情によく耳を傾けます。ただちにさばいたり悔い改めを迫ったりするなら、同伴の場が安全なものになりません。

(5) 自分と同じ神学、信条、霊性に導こうとしたり、自分の確信と違うことを相手が言ったりしたとき、それを否定したり自分の考えを主張したりする

クリスチャン同士でも、必ずしも同じ神学に立っているとは限りません。倫理規程（203頁）のところで言及したように、同伴者は被同伴者の信仰や確信を尊重します。また、政治的なことや習慣的なことで、同伴者と被同伴者が一致しない場合も珍しくありません。同伴者は、あくまでも被同伴者と神の関係に焦点を定めつつ、被同伴者が神に聞くことを励まします。

(6) 自分が良いと思う結論、聞きたいと思うことを言うように誘導する

たとえば、被同伴者が誰かを赦すことができずにいるとします。同伴者は「赦しましょう」と直接には言わないとしても、被同伴者に「赦します」と早く言ってほしくて、会話をその方向に誘導したくなるかもしれません。被同伴者が深く葛藤していると、早く平安を感じてほしくて、無意識にも相手が平安や信頼を告白できるように会話の流れを持っていきそうになることもあります。しかし同伴者は、自分のそういうニーズに充分気をつけ、聖霊の導き

に注意を払い、被同伴者のペースに合わせます。もしもそういう誘惑が何度も出てくるようであれば、それは同伴者側の問題なので、スーパーヴィジョン（109頁）で扱いましょう。

(7) 被同伴者の話をさえぎって自分が話し出す

同伴の会話の主役は被同伴者です。被同伴者の話をさえぎって同伴者が話すようなことはしません。ただし、被同伴者が感情的に高ぶって次から次へと話しているような場合は、相手を落ち着かせるために深呼吸をするように勧めたり、途中で沈黙に導いたりするのはよいでしょう。

沈黙が続いているとき、沈黙を破るのは基本的に被同伴者であるべきです。ときには数分以上の沈黙が続くときもあります。それはかなり長く感じられるでしょうが、同伴関係に入る最初の段階で、沈黙を尊重することを伝えておくといいでしょう。ときには、被同伴者が何を話したらいいのか分からなくなり、所在なさそうにすることもあります。そうであれば、そのときの聖霊の導きに従って、同伴者の側からふさわしい問いかけをするといいでしょう。

転移・逆転移

臨床心理学や精神分析学においては、クライアントが過去の体験における特定の対象（親、兄弟、教師など）に対して持っていた感情や態度を、無意識に治療者（カウンセラー、セラピストなど）に向けることを「感情転移」と言います。その感情が信頼や尊敬、親近感や愛情など、好意的なものである場合は「陽性転移」、不信感や敵意、憎しみ、攻撃性など、否定的なものである場合は「陰性転移」と言います。

これと逆に、治療者がクライアントとの関係の中で引き起こされた自分の感情や態度に反応することを「逆転移」と言います。逆転移にも二種類あり、治療者自身が抱える未解決の問題や、治療者の過去の経験から出る感情をクライアントに投影する場合を「主観的逆転移」、クライアントの言動や状況によって引き起こされる治療者の反応を「客観的逆転移」と言います。

このような感情転移は、カウンセラーとクライアントの間だけでなく霊的同伴者と被同伴者の間でも起こり得ます。たとえば被同伴者が同伴者を親のように慕う、同伴者を理想化する、などです。あるいは、かつて自分と関係がよくなかった親、あるいは教師などへの感情を同伴者に投影し、実際の状況に見合わない形で反抗的になったり怒りをぶつけたりするのも転移の例です。過去に牧師から霊的虐待を受けたことのある人は、同伴者に心を開くことを恐れるかもしれません。

逆転移の例としては、たとえば同伴者が被同伴者に自分の子どもを重ね、被同伴者を過度に守ろうとしたり、助言や指示を与えたりするかもしれません。かつて自分が通った問題と似た問題で被同伴者が苦しんでいるとき、その当時の自分の感情が思い出され、聖霊に聞くよりも自分の感情に反応した発言をするかもしれません。さらに、同伴者が低い自己意識や満たされていないニーズを持つとき、自分に頼ってくる被同伴者を助けることで、自らのニーズを満たそうとする「共依存」に陥るかもしれません。

そうなると、同伴関係はもはや被同伴者のためではなく自分のためのものになってしまいます。霊的同伴者が「三つの耳」(47頁、169頁)で聴き、自分の内なる声にも耳を傾ける必要があるのは、このためです。自分の内側で起こっていることに注意を払い、逆転移に流されないようにするのです。

転移にしても、逆転移にしても、それが起こること自体は珍しくありません。同伴関係の中で転移、または逆転移が起きているかもしれないと気づいたなら、見て見ぬふりをするのではなく、祈りをもってそこで起きていることに目を向けます。転移も逆転移も、往々にしてそこに未解決の問題があることを示唆します。

転移に気づいた場合は、同伴者は被同伴者から向けられる感情や態度は(それが好意的なものであれ、攻撃的なものであれ)自分個人に対するものではないと認識し、境界線をしっかりと保ち、被同伴者の感情に反応しないように気をつけます。そして、被同伴者の感情や態度に対して身構えることなく、優しさと配慮をもって被同伴者が自分の内側で起こっていることに注意を向けるのを助けます。そうすれば、これは被同伴者にとって癒しや成長の機会となるでしょう。[9]

自分の中で逆転移が起こっていると気づいた場合は、スーパーヴィジョンのもとにそれを持っていきます。

同伴関係の開始と継続と終了

同伴関係を始めるときは、本格的な継続的セッションをする前に、お試し期間のような感じでセッションを数回持つよう勧める同伴者が多いと思います。同伴者と被同伴者の関係には相性のようなものもあるので、二、三回会ってみて、その同伴者が自分にしっくりくるかどうか、被同伴者は祈りをもって確認するといいでしょう。同伴者側も、数回のセッションののち、その人の助けになるのは霊的同伴よりカウンセリングやメンタリングだと思えば、そちらを勧めるでしょう。

同伴者は、コミットメントをもって被同伴者の旅路に同伴します。ここでの「コミットメント」が意味することは、同伴関係に入っていくとき、双方が祈りをもって、意図的に継続的な関係に入ることを約束する、ということです。都合によって会ったり会わなかったりするのではなく、定期的に会う決心を双方がします。ただし、コミットメントと言っても、結婚関係のように生涯続く固定されたものではありません。同伴を受ける人のニーズによって、数か月で終わる場合もあれば、数年、数十年と続く場合もあります。また何らかの理由で、途中で同伴者が変わることも珍しくありません。一年に一回くらい、同伴関係を継続するかどうかを互いに確認するといいでしょう。また、霊的同伴の関係を終えるときは、いつの間にか自然消滅していた、という形ではなく、祈りをもって意識的にその関係を終えるのが望ましいとされています。[8]

それでは、同伴関係を終えるタイミングは、どのように識別すればいいでしょうか。何よりも、被同伴者がもう必要ないと思えば、被同伴者はいつでも終了することができます。必要ないと感じる理由にはいろいろあるでしょうが、初めに抱えていた課題が取り扱われ、被同伴者が旅路の次の局面に達して、もはや同伴者がいなくても大丈夫だと感じるなら、それは一つのサインでしょう。たとえば、召命についての識別がしたくて始めた人が、召しを識別して新たに献身の生活に入ったことで、識別を助けてくれた同伴者との関係が不要になることがあるかもしれません。

ただし先にも述べたように、そもそも霊的同伴は問題解決のためではないので、当初抱えていた問題が取り扱われたからといって同伴関係を終了する必要はありません。実際、危機的な状況にあったことがきっかけで同伴を受け始めた人が、その状況を乗り越えても継続することはよくあります。また、引っ越しや結婚、就職、出産など、生活に大きな変化があり、霊的同伴を続ける時間が取れなくなって終了することもあります。その場合、しばらく時間が経ち状況が落ち着いたら、再開することもあるでしょう。

転移や逆転移が起こったり、適切な境界線を保てずに同伴関係が不適切なものになってしまったりすることもあり得ます。その場合、すぐに同伴関係を解消するのではなく、むしろその問題を神の前に持っていき、祈りをもって取り扱うことも可能です。同伴者はスーパーヴィジョンやコンサルテーションを受けつつ、被同伴者と共に問題に誠実に向き合い、祈りをもって取り扱っていくならば、そのような問題はさらなる成長の機会にもなり得ます。そもそもこういった問題は、同伴関係によって引き起こされたというよりも、同伴関係を通して、どちらか、あるいは双方それぞれの中に、すでに存在していた問題が表面化した場合が多いと考えられます。

隠れていた問題が表面化するのは、それを直視し取り扱うことで回復や成長に向かう機会となりうるので良いことです。ただし、二人の間で取り扱えない深刻な問題があると気づいた場合は同伴関係を解消し、その問題の性質にふさわしい別の助け（カウンセリングなど）を得るほうが賢明でしょう。

どういう理由で同伴関係が終わるにせよ、その関係は聖なるものであり、祈りをもって入ったのですから、終えるときも祈りをもって終えるのが望ましいでしょう。

ビデオ通話を用いたセッションについて

霊的同伴は、実際に会って対面で行うのが望ましいですが、Zoom や FaceTime などインターネットのビデオ通話機能を用いて行うこともできます。私は以前から、アメリカと日本の間でビデオ通話を用いてセッションを持っていましたが、コロナパンデミックが起きたことで、たとえ近くに住んでいても対面で会えなくなり、ビデオ通話の必要がますます広がったようです。パンデミックが収束しても、ビデオ通話によるセッションは続くのではないかと思います。

この場合の注意点としては、対面の場合と同じように、同伴者も被同伴者もそれぞれに、外部からの騒音や邪魔の入らない、なるべく静かな環境を確保することです。自宅からのセッションの場合、生活音がうしろに入ってしまう場合があります。なるべくそういうことのないよう事前に家族に話して気をつけます。たまに入ってしまう場合は、お互いに寛容さをもって受け止めましょう。それが毎度のことであれば、場所や時間について考慮し直すべきでしょう。また、被同伴者の表情やしぐさ、姿勢などがよく見えるように、薄暗い場所や逆光になる場所は避けます。また対面の場合と違って移動時間がないので、セッション直前までスケジュールが埋まっているかもしれません。しかしなるべく意図的に、セッション前の一〇分くらいは空き時間にして、心を整えるよう心がけるといいでしょう。これは同伴者も被同伴者も同じです。

ビデオ通話を用いる場合の難点は、ネット回線が不安定だと途中で音声が途切れたり画面が固まったり、時には回線が落ちてしまうことです。可能な限り安定したネット回線を確保したいものですが、ユーザーにはどうにもできないこともあるので、その場合は仕方がありません。会話に集中できないほど不安定になる場合は、ほかの方法を考えたほうがいいでしょう。それらを除けば、ビデオ通話を用いてのセッションは、対面の場合と比べてもほぼ遜色なく行うことができると思います。

相手のいる場で相手と出会う（Meet them where they are at）

霊的同伴の学びで私が教えられたことの一つに、Meet them where they are at というフレーズがありました。これは、相手を自分のいるところに引き寄せるのではなく、相手のいる場所、すなわち相手の心や関心、相手の魂がとどまっている場や状態に、こちらが出向くという意味です。旅路の道案内の比喩で言うなら、早く次の景色を見せたくて同伴者は気持ちが急くこともあるかもしれませんが、自分が観ているものを被同伴者にも観せようとするのではなく、被同伴者が観ているものを一緒に観るのです。被同伴者の生活の中ですでに働いておられる聖霊に信頼し、被同伴者のペースに合わせます。

一対一の同伴のセッションは、百パーセント被同伴者の魂のための時間です。私たちは普段の生活の中で、自分の話をじっくりゆっくり、心ゆくまで聞いてもらうという体験がどれだけあるでしょうか。ましてや、自分の魂のことや自分と神との間で起こっていること、霊的な事柄や体験について、誰にもさえぎられることなく、自分ばかり話して申しわけないと遠慮することもなく、批判や評価される心配もなしに、思う存分聞いてもらえる機会はどれだけあるでしょうか。その機会を差し出せるだけでも、霊的同伴は貴重な贈り物です。

霊的同伴とロウソク

これはそれほど本質的なことではありませんが、すでに言及したように、同伴のセッションではロウソクに火を灯すことがよくあります。ロウソクを用いるのは神秘的な雰囲気を出すというムード作りのためではありません。そこにある聖霊の臨在を象徴するためです。カトリック教会や聖公会の教会では、礼拝のときにも本物のロウソクを灯しますが、それは私たちの神への崇敬と喜びの表現でもあるそうです。同伴のセッションのときは必ずロウソクを灯さなくてはならないというものではありませんが、神の前に出て心を開く、聖霊の導きを求めるという私たちの心の象徴でもあるので、可能であればぜひロウソクを灯すといいと思います。

とはいえ、場所によっては火を用いることができないこともあります。また、日本は地震が多いので、ロウソクを用いることへの不安もあるかもしれません。最近では炎の揺らめきを上手に表現するＬＥＤのロウソクもあるので、それを利用することも一案です。

1 Jeannette A. Bakke 前掲書
2 C.S. Lewis, *A Grief Observed,* 1961 邦訳『悲しみを見つめて』西村徹訳 新教出版社 1994
3 Parker Palmer, *Leading from Within: Reflections on Spirituality and Leadership,* Servant Leadership School, 1990
4 Gordon T. Smith 前掲書
5 前掲書
6 William A. Barry & William J. Connolly 前掲書
7 前掲書
8 Alice Fryling, *Seeking God Together: An Introduction to Group Spiritual Direction,* IVP Books, 2008
9 Janet K. Ruffing, R.S.M 前掲書 参照

第8章　グループでの霊的同伴

現在の日本で、定期的に一対一の霊的同伴を受けているクリスチャンはまだとても少ないと思います。特にプロテスタントではそうでしょう。受けるどころか、そもそも「霊的同伴」など聞いたことがないという人が圧倒的に多いのではないでしょうか。実際、日本での働きは、ほとんどがカトリックの司祭やシスターによるもののようです。

しかし近年、カトリックの方たちから霊的同伴について学んだり、海外で学びを受けたりしてその働きを始める日本人が、プロテスタントの間でも少しずつ起こされています。とは言え、霊的同伴を受けてみたいと思う日本人にとって、その機会はまだまだ希少でしょう。

一対一の同伴は受ける機会がないけれど、それを体験してみたいという場合、どういう選択肢があるでしょうか。一つの可能性として、グループによる霊的同伴が挙げられます。そこで本章では、霊的同伴グループについて取り上げます。その基本的なフォーマットを説明しつつ、一対一の霊的同伴を受けた経験のない参加者でも、霊的同伴における観想的な傾聴のプロセスに徐々に慣れていけるよう、順を追って進めていく方法をご紹介します。霊的同伴グループを始めてみたいと思う方々に、実践的な手引きを提供することを目指します。

グループによる霊的同伴とは何か

グループによる霊的同伴とは何でしょうか。今や教会ですっかり定着した「スモールグループ」と、どう異なるのでしょうか。

聖書の学び、信仰書の読書会、祈りの集まり、母親たちのグループなど、スモールグループの目的や形態にはさまざまなものがあります。どれも互いの信仰生活を支え、励まし、共に歩んでいく尊い仲間たちの集まりです。そして、その究極の目的は、それぞれのメンバーが神と人とを愛することにおいて成長・成熟し、よりキリストに似たものへと変えられていく霊的旅路を共に歩んでいくことでしょう。その観点から言えば、霊的同伴グループもスモールグループの一形態と言えます。ただ、その本質は霊的同伴であり、グループのダイナミクス（メンバー同士のかかわり方や相互に与える影響など）は、観想的傾聴に根ざしています。

聖なる傾聴のグループ

霊的同伴グループは、生活のあらゆる場面における神の臨在と神の働き（活動）に気づき、注意を払い、それに誠実に応答することを助け合うための定期的な集まりです。自分の生活や思いや祈りの中で起こっていることの正直な分かち合いと、それに対する祈りに満ちた沈黙と傾聴のプロセスを通して、互いの霊的旅路に同伴し合う少人数の仲間たちです。「聖なる傾聴グループ」と呼ばれることもあります。そこには、互いのために聖霊に耳を傾ける、分かち合われたことの中におられる神を見出すという明確な焦点があります。

一対一の同伴と同様、神を求め、聖霊の動きに心を開き、「三つの耳」で傾聴するという観想的な姿勢が基本にあります。違いは、一対一の場合は被同伴者と霊的同伴者の役割が固定していますが、グループでは参加者一人ひとりが順番に被同伴者となり、その都度、他の全員が同伴者の役割を担うことです。

同伴グループとは、一対一の同伴を受けられない場合の次善の策ではありません。このグループには、自分もまた聴く側に回り、ほかの人のために神の御声に耳を澄ますことによる特別な恵みがあります。それは、自分が同伴してもらう側にいるだけでは得られないものです。

霊的同伴グループの特徴

このグループの特徴として、特に二つのことがあげられます。一つは、セッションの進め方に明確な順序、枠組みがあることです。具体的な集まり方にはいくつかバリエーションがありますが、どういうサイズ、どういう頻度で集まるグループであっても、その進め方には一定の枠組みがあります。もう一つは、途中で何度も沈黙の時間を取ることです。

この霊的同伴グループのセッションには、一人が分かち合い、それを残りの人たちが沈黙して耳を傾ける時間と、全員が沈黙して聖霊に耳を傾ける時間と、沈黙の中で与えられた気づきなどを順番に分かち合う時間があります。この枠組みに従うことは、参加者がグループの目的と意図に専念することを助けます。

「ファシリテーター」と「プレゼンター」

すでに述べたように、このグループはメンバー同士が互いに同伴し合う場であるため、専任の同伴者はいません。その代わり、「ファシリテーター」（進行役・タイムキーパー）がいます。分かち合いをする人、すなわち被同伴者のことは「プレゼンター」、または「フォーカスパーソン」と呼びます。メンバーの一人ひとりが順番にプレゼンターとなり、ファシリテーターを含む残りのメンバーは、プレゼンターが分かち合うことに耳を傾けます。つまりメンバー全員が同伴者の役割を担います。一対一の霊的同伴と同じく、真の導き手（スピリチュアル・ディレクター）は聖霊です。グループは、真の導き手である聖霊の御声に祈りをもって共に耳を傾けます。

ファシリテーターは基本的に進行役（タイムキーパー）で、後述する手順に沿ってグループが進むようにします。また、同伴にふさわしくない言動（助言、分かち合われた内容への意見や体験談を話し出す、一人が場を独占して話す等）があった場合、注意をします。シャレム・インスティチュートでグループでの霊的同伴の指導をしてきたロイス・A・リンドブルームは、ファシリテーターの役割を次のように説明しています。

（霊的同伴グループでは）沈黙の時間を尊重し、セッションの構造を守ることによって、グループが祈りながら聴くための「容器」が作られます。ファシリテーターは、その容器を保持する責任を担います。時間に注意を払い、手順に沿ってセッションの流れを順番に進め、その枠組みと沈黙が守られるようにします。[1]

一般的には、訓練を受けた同伴者がファシリテーターになることが多いですが、それが難しい場合は、すでに定期的に同伴を受けている人、あるいは静まりやソリチュード、観想的な祈りなどの霊的実践をしている人が行うといいでしょう。グループ全員がこのプロセスに慣れてきたら、ファシリテーターの役割を交代で行うようにしてもかまいません。

なお、同伴グループにおけるファシリテーターは、会議でのファシリテーターとは異なります。会議では、参加者から意見を引き出したり、皆の意見をまとめたりしますが、同伴グループでのファシリテーターはそのようなことはしません。

霊的同伴グループの基本的ルール

霊的同伴グループを始めるときには、以下の基本的なルールを全員で確認してください。これらのルールは、グループを「安全」な場所に保つために大切なことです。

(1)守秘義務を守る

グループで分かち合われたことは絶対に他言しません。メンバー同士でも、グループが終わったら、そのとき分かち合われた内容を話題にしません。自分が分かち合ったことを、自分からグループ外で話題にするのはかまいませんが、ほかの人が、「あなたがグループで分かち合ったことについてだけれど……」と、グループの外でその話題を出すことも避けます。

(2)助言しない

同伴グループでは、助言したり、教えようとしたり、相手が分かち合ったことに対する自分の意見や評価や確信を述べたりしません。

(3)毎回参加する

メンバーの誰かが休むと、その人がグループを体験できないだけでなく、ほかのグループメンバーもその人を通して体験できるはずの恵みを体験できなくなります。よほどのことがない限り、毎回参加するつもりでいてください。そのかわり、グループが集まる期間を、九か月や一年など、最初に決めておくといいでしょう。

また、これはルールではありませんが、『グループでの霊的同伴』[2]（邦訳未刊）の著者、ローズマリー・ドーティー（ノートルダム教育修道女会）は、メンバーが次の三点について同意していることが重要だと述べています。

- 各人がそれぞれに、神との間に正直な関係を持つよう心を定めていること。
- 祈りを込めた傾聴と応答によって、グループプロセスに心をこめて参加すること。
- 自分の霊性の旅路に対して、他者からもらうフィードバックやコメントに心を開いていること。

プレゼンター（被同伴者）は、自分の抱えている悩みや葛藤を分かち合うかもしれませんが、一対一の霊的同伴と同じく、グループはそれに対する解決策を皆で考える場ではありません。プレゼンターがその悩みや葛藤の中で神の御声に耳を傾け、神から導きを得られるように助けるのです。

「聴く」ということの役割

霊的同伴の基本は、聴くこと、傾聴です。一対一では、被同伴者はいつでも聴いてもらう立場ですが、同伴グループでは、参加者全員が同伴者の役割も担うので、全員が聴き方を学ぶ必要があります。たとえば、聴くときは、相手が話しているあいだは口を挟みません。あいづちも軽くうなずく程度です。黙って、静かに、集中して聴きます（第2章「特徴その2」参照）。

傾聴者の役割は、一に聴くこと、二に聴くこと、三に聴くことです。まずプレゼンターのストーリーに、コンパッション（共感共苦からくる思いやり、優しさ）と敬意をもって、じっくりと耳を傾けます。分かち合われたことを、尊い、聖なるものとして自分の両手の中に抱き、価値判断抜きでそのまま受け止めます。そして聖霊が何を語っておられるか、何を示しておられるかに耳を傾けます。霊的同伴における傾聴は、とりなしの祈りをしながら聴くことだとも言えます。聖霊がすでにその人のために祈っている祈りに、自分も加わるのです。さらに、相手の話を聴きながら、自分の内面に起こる動きや思いにも注意を払います。自分の思いが聖霊の働きの邪魔をしてしまうことがないようにするためです。

私たちは心を込めて聴きますが、わざをなしてくださるのは神です。主が必要なときに必要なことをなしてくださり、私たちに語るべきことがあるなら、主が教えてくださると信頼します。結局のところ、私たちが聴くことができるのは、全体像のうちの一部であり、すべてを知ることはできません。しかし、神はすべてをご存知で、その人のことを愛しておられ、その人のために最善をなしてくださいます。神は、その人が同伴グループにやってくる前からその人を愛し、導いておられ、同伴グループを去ったのちも、その人とずっと共にいてくださいます。ですから、その人に対する神の絶対的な愛に信頼しつつ聴くのです。

観想的態度で聴く

一対一でも、グループでも、霊的同伴の根底にあるものは「観想的態度」です（第3章参照）。観想的であるとは、私たちと共にいてくださる神の臨在を意識し、神の御声に絶えず耳を傾け続ける姿勢であると言えるでしょう。また「観想」は、観て想う、つまり、神の御顔を仰ぎ見て思いを巡らすことを示唆します。自分の生活の中で、継続的に神の臨在、愛、恵みを意識し、いつでも共におられる神を意識することです。霊的同伴の中で沈黙を大切にするのはそのためです。心を静め、神に注意を向け、神の御声に耳を傾けるのです。

メンバーが霊的同伴の概念にまったく初めてであれば、同伴のセッションに入る前に一、二度学びの時間を作り、傾聴や観想的態度について前もって皆で簡単な学びをしておくといいでしょう。

魂の深みに降りていくことを助ける

私が霊的同伴者養成のプログラムを受講していたとき、インストラクターたちがグループによる同伴を受講生の前で実演してくれたことがありました。四人のインストラクターが輪になって座り、真ん中に置いた台の上に聖霊の臨在を象徴するロウソクの火を灯し、沈黙から始まりました。そして、プレゼンター役の人が、自分のことを分かち合い始めました。それはあらかじめ用意された台本ではなく、本当にその人の心の内にあったものでした。そして残りの三人は、それをロールプレイとしてではなく、本気で主の前に聴いていました。

プレゼンターは、自分の生活の中で起こっていること、それに対する内なる反応、痛み、戸惑いを話しました。残りのメンバーはほとんど身じろぎすることなく、静かにそっと耳を傾けていました。そして、その状況の中におられる主の臨在、主の語りかけに、プレゼンターが気づくのを助けるコメントや問いかけをしました。それは正解を求める試問ではなく、もやの中に光をそっと当てるような、プレゼンターが自分の感情や思いを言語化するのを助けるような、そんな優しい問いかけでした。強引なところはいっさいなく、決めつけや批判的なトーン、あからさまな好奇心や上から目線もない、謙虚な問いかけやコメントでした。プレゼンターはそれを手掛かりに、さらに自分の心を探り、神に目を向けていきました。グループ全員が、共に主のかすかな御声に耳を傾けようとしているのが見てとれるようでした。

四人の会話の中には、途中で何度も沈黙がありました。プレゼンターが言葉を止めても、他の人たちは誰もわれ先にと口を開くことなく、プレゼンターがもう一度語り出すまで、静かに待っていました。それを見ている受講生の私たちもまた、共に聖なる空間と時間にあずからせていただいている者として、息をひそめて、その会話に耳を傾けました。


これは、日常の会話においては滅多に見られない光景ではないでしょうか。普段の会話は、誰かが言葉を止めたら、ただちに別の人が割って入ってくることがよくあります。しかしここでは、皆が聖霊の導きを待ちました。沈黙があり、少しの言葉が紡がれ、また沈黙があり、また少し言葉が紡がれ、そうやって聖霊と共に徐々に魂の深みに降りていくかのようでした。気の利いた一言を言おうとか、賢明な質問をしようなどと、誰も意気込むことはありません。そこにはただ主への静かな信頼がありました。

そのセッションが終わったとき、問題が解決されたり、何らかの結論に到達したりしたわけではありません。しかし、霧が晴れてあたりが明るくなったかのような、萎（しお）れていた植物に水が与えられて元気を取り戻したかのような、そんな印象がありました。

グループの人数、セッションの長さや頻度など

同伴グループを始める場合、その人数、一回のセッションの長さ、集まる頻度、集う期間などを決める必要があります。人数は、四、五人が適当です。三人でも可能ですが六人では多すぎるでしょう。

初めての場合、最初は実験的でもあるので、六か月とか九か月など、期間を限るといいでしょう。そしてその期間中は、同じメンバーで集まることに同意します。つまり、全員が毎回参加する意志を持つことを最初に確認します。もちろん、そのつもりでいても人生には予期せぬことが起こる場合もあるので、緊急時に参加できなくなるのは仕方ありません。ただ、グループを安全で豊かな場所にするために、参加できるときだけ参加するというスタンスではなく、極力毎回参加するということです。

一回のセッションの長さや頻度はどうすればいいでしょうか。人数などによって変わってきますが、基本的には、一人のプレゼンターにつき最低30分は時間を割り振れるようにし、全員が二か月に一回はプレゼンターとなる機会があるようにするといいでしょう。一回のセッションの長さは、30分×プレゼンターの人数＋30分が目安です。集中して聴くことは疲れますので、一回のセッションでのプレゼンターは三人までにするのが無難だと思います。

たとえば以下のようなパターンを参考にしてください（交代で全員がファシリテーターを担う場合を想定）。

三人グループの場合
(a) 毎週あるいは隔週で一時間のセッションを持ち、一回に一人がプレゼンターとなる。
(b) 月に一度一時間半のセッションを持ち、一回に二人ずつプレゼンターとなる。
(c) 月に一度二時間のセッションを持ち、毎回全員がプレゼンターとなる。

四人グループの場合
(a) 毎週または隔週で一時間のセッションを持ち、一回に一人がプレゼンターとなる。
(b) 隔週で一時間半のセッションを持ち、一回に二人ずつプレゼンターとなる。
(c) 月に一度一時間半のセッションを持ち、一回に二人ずつプレゼンターとなる。

五人グループの場合
(a) 毎週一時間のセッションを持ち、一回に一人がプレゼンターとなる。
(b) 隔週で一時間半のセッションを持ち、一回に二人ずつプレゼンターとなる。

(c) 月に一度二時間のセッションを持ち、一回に三人ずつプレゼンターとなる。

これらはあくまで目安です。それぞれのグループの必要や状況に合わせて調整してください。

「基本の手順」とその進め方

先にも言及したように、グループでの同伴にははっきりとした手順があります。「**沈黙 ↓ 分かち合い ↓ 沈黙 ↓ 応答 ↓ 沈黙**」という流れです。

具体的には多少のバリエーションはありますが、基本はだいたい次のようなものです。＊印は、一人のプレゼンターに割り当てられる部分（③〜⑦）で、この部分が約30分になるようにします（括弧内の時間は目安）。ファシリテーターは、時計（またはタイマー）を使って、それぞれの時間が長引かないよう気をつけつつ、この流れがスムーズにいくように進行させます。時間については神経質になり過ぎる必要はありませんが、没頭していると時間感覚がにぶる場合が多いので、慣れるまではタイマーを使うことをお勧めします。

① 沈黙と開始にあたっての祈り（1〜2分）

② チェックイン（4〜5分）

③沈黙（1～2分）＊
④プレゼンターによる分かち合い（10～15分）＊
⑤分かりにくかった点を確認する質問（1～2分）＊
⑥沈黙のうちの思い巡らし（4～5分）＊
⑦応答（10～15分）＊
⑧沈黙（1～2分）
⑨グループプロセス（5分）
⑩セッション終了の祈り

①沈黙と開始にあたっての祈り（1～2分）

椅子を丸く並べるなどして、お互いの顔が見えるように座ります。そしてセッションに向けて心を静めるために、全員で一分ほど沈黙します。沈黙に入る合図と聖霊の臨在がそこにあることの象徴として、可能ならロウソクを灯すといいでしょう。

私たちの中で、また私たちの間ですでに働いておられる神の臨在と御声に心を開くこのグループの目的を、祈りのうちに再確認します。ファシリテーターが声に出して祈ることで沈黙を破ります。

②チェックイン（4～5分）

ここでのチェックインとは、メンバー全員が順番に行う一種の挨拶のようなもので、近況報告ではありません。その日、どんな状況の中からどんな気持ちをもってその場にやってきたかを短く分かち合います。たとえば、「今、子どもが受験前なので家族がピリピリしていて、私も落ち着かない気持ちのままでここに来ました。」「夕べは遅くまで仕事をしていたので、今日はちょっと眠いです」「ずっと祈っていたことに答えが与えられ、今日は喜びの中でここに来ました」などといった具合です。一人一分以内が目安です。

③沈黙（1～2分）

チェックインが一巡したら、再び沈黙の時間をとります。このときの沈黙は、ファシリテーターが時間を計るのでなく、その日のプレゼンターが話し始めるために心が静まったら沈黙を破ります。ファシリテーターはこの沈黙に入る前にこのように言うといいでしょう。

「それでは、しばらく沈黙しましょう。○○さん（そのときのプレゼンター）、心が整ったら、（沈黙を破って）話を始めてください」

ほかのメンバーは、プレゼンターの話を御霊の光のもとで聴くことができるよう、沈黙のうちに聖霊を心に迎えます。

④プレゼンターによる分かち合い（10〜15分）

プレゼンターは、そのとき自分の心にあること、気にかかっていること、思い巡らしていることなどについて10〜15分くらい分かち合います。最近の神と自分の関係、祈りの中で体験したこと、喜びや悲しみなどの体験、神の導きを求めている事柄、迷いや混乱を覚えていることなど、何でもかまいません。

他のメンバーは分かち合われることを、沈黙のうちに祈りを込めて全身全霊で聴きます。聴くときは、ときおり無言でうなずく程度で、声に出してあいづちを打たないほうがいいでしょう。不明点があっても、プレゼンターが分かち合っているあいだはさえぎりません。タイマーが鳴ったら、プレゼンターは残り一分ほどで話しを終えるようにします。

⑤分かりにくかった点を確認する質問（1〜2分）

プレゼンターの話が終わったら、聞いていて分かりにくかった点を確認する時間を取ります。感情や動機などの内面的なことではなく、「それが起こったのは先週でしたか？」「その人とは初対面だったのですか？」のような事実関係の確認など、プレゼンターが「はい／いいえ」、または一言で答えられる質問です。聴き手は、プレゼンターの状況のすべてを理解する必要はありません。特に確認したいことがなければ、次に進みます。

⑥沈黙のうちの思い巡らし（4～5分）

分かち合われたことを、祈りをもって受け取るための沈黙を四～五分とります。人間的な思いや判断で受け取るのでなく、聖霊が照らしてくださる光の中で受け取るための沈黙です。プレゼンターのために聖霊が語っておられること、示してくださることを受け取れるために、自分の中にある先入観や好奇心、自我を手放します。心の中でこう祈ってもいいかもしれません。

「神様、この人のためにあなたが持っておられる願いは何でしょうか？　この人のためにあなたは私にどう祈ることを求めておられますか？」

分かち合われたことのどこか特定の部分に、聖霊が光を当てているように感じるかもしれません。何らかの情景や言葉や聖書の物語の場面などが心に浮かぶかもしれません。この沈黙では自分の知性で思い巡らすのではなく、プレゼンターを導き、プレゼンターのためにすでにとりなしておられる聖霊の促しに心を開きます。

⑦応答（10～15分）

分かち合いを聴いていたときや沈黙の中で与えられたことなどを、一人ずつ順番にプレゼンターに差し出します。ただし、「神様がこれを示してくださいました」「神様が……と言っておられます」と断言する言い方はしません。自分では神からだと思っても、そうでない可能性もあるからです。むしろ、「……が心に浮かびました」「……に気づきました」のように表現してください。心に浮かんだものを差し出すときも、「これがあなたのためのものか、私のためのものか、グループの誰かのためのものなのかは分かりませんが……」と前置きするといいでしょう。心に浮かんだものだけを差し出し、それについての自分の解釈を語ることはしません。また、「あなたの話を聞いていて……が特に心に響きました（印象に残りました）」のようにコメントしてもいいでしょう。分かち合いの最中のプレゼンターのしぐさや表情など、目にとまったことがあれば、その気づきを差し出してもいいでしょう。

何を差し出すとしても、決して上から目線にならないよう気をつけてください。差し出すものは指導や助言や矯正の言葉ではありません。愛とコンパッションから出る贈り物です。プレゼンターは、差し出されたものに対してコメントしてもかまいませんし、無言で聞くだけでもかまいません。

また、この同伴のプロセスに慣れてきたら、プレゼンターが分かち合ったその体験の中で、神がどこにおられ、どのように働いているのかに注意を払う助けになるような問いかけをしてもいいでしょう。

「その状況の中で神様はどこにおられると思いますか？」

「神様はあなたに神ご自身をどのように現してくださっていますか?」

「そのことは、あなたの神様のイメージにどう影響しましたか?」

「そのとき、神様はあなたのことをどのようにご覧になっていたと思いますか?」

「今、神様はあなたに何とおっしゃっているように感じますか?　神様にどう応答したいですか?」

「もしあなたが神様だとしたら、そのときのあなたに何と言いたいですか?」

「その状況の中で、神様にどのように助けてほしいですか?」

「あなたのために、私たちにどう祈ってほしいですか?」などなど。


プレゼンターは、ただ質問に答えるというより、それらの問いかけを手掛かりにして自分の内面や神との関係などを振り返り、自分の心の声をよく聴きつつ返答します。これらの問いかけに「正解」はありません。あくまでも、プレゼンターが自分の生活の中にある神の臨在とその働きに気づき、応答するのを助けるためのものです。

プレゼンターは聞かれた質問に必ず答えなくてはならないというものでもありません。考える時間が必要であれば「しばらく考えてみます」でもいいですし、「よく分かりません」でもかまいません。

これは「ディスカッション」の時間ではなく、その目的も悩み相談や問題解決ではありません。メンバーの考えや意見や確信を述べる時間でもありません。共感の思いを示すのはかまいませんが、相手の感情を決めつけるような言い方は避けます。「私も似たような体験があって……」と、自分の話をし始めてもいけません。

自分が差し出すときには、それが本当にグループの中で分かち合うべきことか、それとも自分の自我（自分の判断、問題を解決したい、相手を喜ばせたい、賢いと思われたいなど）から出たものでないかどうかを自問してください。何かを言わなければと焦る必要はありません。無言のまま話しを受け止めることも立派な贈り物です。プレゼンターも、活発な反応がなかったとしても、自分の話は退屈だったのだろう、価値がなかったのだろうと思う必要はありません。

⑧沈黙（1～2分）

一通りの応答がなされたら、再び沈黙します。メンバーは、沈黙のうちにプレゼンターのために祈ります。プレゼンターは、メンバーから差し出されたものが神から出たものだと感じれば受け取り、ピンとこなかったものや助けにならないと思えたものは手放します。

差し出されたものをすべて受け取らなくてはとプレッシャーを感じる必要はありません。ただ、そのときにピンとこなかったことが、あとになって意味を持ち始める場合もあるので、軽く手に乗せておくくらいの受け取り方をしておくといいかもしれません。

一回のセッションに二人以上のプレゼンターがいる場合は、③～⑦を繰り返します。

⑨グループプロセス（5分）

プレゼンターの分かち合いとメンバーの応答がすべて終わったら、「グループプロセス」の時間を持ちます。グループプロセスとは、その日のセッションがグループにとって、また自分にとってどういう体験であったかを振り返る時間です。聖霊がグループの中でどのように働いておられると感じたか、やり取りが脱線したように感じたときはあったか、思いを集中させるのに妨げになったことはあったか、助けになったことはあったかなどを振り返り、それを皆で分かち合います。

⑩終了の祈り

ファシリテーターが祈って閉じます。

これが「基本の手順」です。

しかし各メンバーに霊的同伴の経験がない場合、最初からこのとおりに進めるのは難しいでしょう。そこで本書では、次のように段階的に深めていくことを提案します。

本格的な同伴グループを始める前に：第一段階の練習

第一段階では、聴くことに集中します。人の話をさえぎらずにじっくり聴くというのは、慣れていないと案外難しいものです。つい途中で言葉をはさみそうになったり、集中力が切れて頭の中でほかのことを考え始めたりするかもしれません。

また、聴くことに慣れていないだけでなく、自分の内面を分かち合うことに慣れていない人も少なくないかもしれません。具体的な出来事や自分の活動については話せても、それに対する自分の感情的な反応や心の動きについて、自分であまり意識していない、うまく言語化できない、という人もいるでしょう。

そこで最初の数回は、プレゼンター（分かち合う人）と聴く側の間のやり取りはせず（「基本の手順」の⑤〜⑦を飛ばす）、分かち合いとそれを聴くことだけに集中します。これはプレゼンターにとって、自分の内面や神との関係を振り返り、言葉で表現する練習であり、聴く側にとっては、ただ相手の言葉を、祈りをもって大切に受け止め、寄り添うための安全な場所を作る練習となります。相手の魂に敬意を払い、そこから出てくるものを大切に扱う練習です。

次のような流れになります。

①～③「基本の手順」のとおり

④一人目のプレゼンターが分かち合う（7～15分）。聴くときの注意事項は「基本の手順」を参照。最初は分かち合うテーマをいくつか用意しておき、事前にメンバーに伝えて選んでもらうのもいいかもしれません。以下に三つの例を挙げてみます。

A 過去数年くらいのあいだに、あなたの神観（神に対するイメージ）に変化はありましたか？　変化があったとしたら、何がきっかけでどのように変化しましたか？　それはあなたと神の関係にどのように影響しましたか？

B 現在の自分と神の関係、あるいは霊的旅路における今のあなたの状態を、比喩的に表現してみてください。なぜそのような比喩が浮かびましたか？　それについて考えるとき、どんな感情が浮かんできますか？　何か神からの招きを感じますか？　それについて神に何と伝えたいですか？　これから先、神との関係や自分が、どうなることを願っていますか？

C 最近、どんなところに神の臨在や愛や恵みを感じましたか？　どんなとき、心がわくわくしたり、喜びや平安を感じたりしましたか？　また、神の臨在や愛や恵みを感じられず、心が乾いたり、冷えているように感じたりしたときはありましたか？　それはどんなときでしたか？　最近、どんなことを神から語られ、あるいは探られているように感じていますか？　それに対するあなたの応答はどのようなものですか？

これらのテーマはあくまでも一例で、これらにこだわる必要はありません。ただ、これらのトピックを手がかりに事前に思い巡らし、神と対話をし、セッションでそれについて分かち合うようにすると、最初はやりやすいでしょう。

また、同伴グループでの分かち合いは、制限時間はありますが、会議のプレゼンテーションのように要点を簡潔に話すことを意識する必要はありません。要領を得ず、支離滅裂になったとしてもかまわないのです。人の心にはしばしば混乱や矛盾があるものです。これは自分の内面を見つめ、それを言語化する練習です。なまじ分かりやすく語ろうとすると、かえって歪(ゆが)められてしまうものがあるかもしれません。聴き手は、たとえ話が分かりにくくても、心の中でさばかないでください。分かち合われたことを、祈りをもってただ丁寧に聴きましょう。

⑤ 沈黙（5分）。プレゼンターが話を終えたら、ファシリテーターは、「では、沈黙に入りましょう」と言って、沈黙に入ります。沈黙のあいだ、今聞いたことを自分の両手のひらでそっと持って神の御前に差し出すイメージを思い描くといいかもしれません。神の愛、恵み、憐れみ、慈しみがプレゼンターに注がれ、包み込んでくださるように心の中で静かにとりなします。

⑥タイマーがなったら、ファシリテーターが「主に感謝します」と言って沈黙を終える。沈黙の中で何らかの思いが来たとしても、このセッションは話を聴いて、それを主の前に受け止める練習なので、皆で沈黙を保ちます。

⑦次の人がプレゼンターとなる。全員が順番にプレゼンターとなり、②~⑤を繰り返します（ファシリテーターは、プレゼンターになってもならなくてもいい。なる場合は、そのあいだだけ、ほかの人がタイムキーパーになる）。

⑧全員が分かち合ったら、沈黙の時間を持つ（1~2分）。

⑨グループプロセス（5~10分ほど）。このセッションで練習した、「ただ聴いてもらう、人の話をただ聴く」ということや、「自分の内面や神様との現在の関係について他者に話す」とは、自分にとってどういう体験だったかを振り返り、分かち合います。

⑩ファシリテーターが祈ってセッションを終える。

このセッションでは、全員がプレゼンターになって分かち合う時間を持てるように、一人当たりの時間を調整してください。**沈黙→分かち合い→沈黙→分かち合い→（メンバーの人数だけ繰り返す。全員が終わったら）→沈黙→グループプロセス**、という流れです。第一段階のセッションを一回だけやって、次回は次に紹介する第二段階に進んでもいいですし、この段階を数回やってから第二段階に進んでもいいでしょう。また、最初の数回は、守秘義務について確認しておくといいかもしれません。

第二段階の練習

第二段階では、プレゼンターの分かち合い後の沈黙のあと、メンバーが応答をします。ただし質問はしません。また、「基本の手順」にある「確認のための質問」も、この段階では飛ばしてかまいません。次の手順で進めます。

①～⑤第一段階と同じ。

⑥応答（5～7分）。「基本の手順」⑦参照（質問はしない）。応答するときはあまり長々と話す必要はなく、沈黙のうちに心に浮かんだことをへりくだって差し出すだけでかまいません。プレゼンターは、差し出されたものに対して短くコメントをしてもいいし、黙って聴くだ

けでもいいです。

⑦全員が一通り応答したら、ふたたび沈黙に入る（1分）。プレゼンターは、グループから差し出されたものが神の愛や恵みに自分を開くことの助けになりそうだと思えば受け取り、そうでなければそっと手放します。一分ほど経ったら、ファシリテータが「神に感謝します」と言って沈黙を破ります。次の人がプレゼンターになり、分かち合い、応答、沈黙を繰り返し、全員が順番にプレゼンターになります。

⑧グループプロセス（5分）。その日のセッションが自分にとってどうだったか振り返り、分かち合います。

⑨ファシリテータが祈って終える。

このときも、グループの人数と一回のセッションの長さを考慮して、各プレゼンターに割り当てる時間や応答の時間を決めてください。第二段階では「応答」が入るため、第一段階より少し時間がかかります。プレゼンターの分かち合いの時間の長さを調整しつつ、できれば一回のセッションで全員にプレゼンター役が回るようにするといいでしょう。

第三段階の練習

この段階で、いよいよ「基本の手順」に入ります。先に述べたように、一回のセッションで何人がプレゼンターになるかは、グループの人数と一回のセッションの長さや集まる頻度によって決まります。慣れるまでは、一人あたりの分かち合いの時間を短めにし（5～7分くらい）、全員が順番にプレゼンターの役割を果たすといいでしょう。そして慣れてきたら、一人あたりにかける時間を長めにし、一回のセッションでのプレゼンターを一人か二人に限定するように調整するといいでしょう。一回のセッションが二時間以上に及ぶ場合は、集中力を保つため、途中に休憩時間を取るといいかもしれません。

また、第三段階に入ってから数回集まったら、自分たちのこの集まりが霊的同伴グループの目的と意図に沿っているかを振り返り、確認する時間を取るといいでしょう。その際、チェックインのあとに五～六分の時間を割り当て、次のことを優しく振り返ります。（つまり、厳しく自己吟味したり、うまくできなかったことで自分や他のメンバーを批判したりするのではなく、神の恵みと憐れみのもとで振り返ります）。

――これまで、グループを安全で祈りに満ちた環境に保つことができているだろうか？

――神の臨在や働きに注意を払うためのスペースを、それぞれの人に充分に与えることができているだろうか？

――アドバイスをしたり、自分の意見や解釈を述べたり、自分のことを投影したりといったことを控えることができているだろうか？

――ほかに、お互いに伝えておいたほうがいいことはあるだろうか？

本章ではグループによる霊的同伴の「基本の手順」と、それに入る前の段階的な練習の進め方について紹介しました。これらの詳細は、絶対にこうでなくてはならないというものではなく、慣れてきたらグループのニーズに合わせて適宜必要な調整をしてください。

なお、一対一の同伴と同じく、グループによる同伴も聖なる時間として扱いましょう。これらを行うには、途中でじゃまの入らない静かな場所と時間を選びます。また始まりの沈黙から最後の祈りまでのあいだ、参加者間の雑談や会場からの出入りはせず、手順に従って静かに落ちついて進めます。雑談や次回の相談などは、一通り終わってからにしましょう。

1 Lois A. Lindbloom, *Prayerful Listening: Cultivating Discernment in Community*, Shalem Institute For Spiritual Formation, 2007

2 Rose Mary Dougherty, *Group Spiritual Direction: Community for Discernment*, Paulist Press, 1995

おわりに

この原稿を準備していた三月のある朝、前年の冬から枯葉の吹きだまりになっていた庭の一角で、枯葉の下からクロッカスが花を咲かせていることに気づきました。どうやら何年も前に私が植えたもののようでした。けれども、ここにクロッカスが咲いているのを見たのは今年が初めてです。おそらく、去年までも枯葉に隠れて小さく花を咲かせていたのでしょう。しかし三月のシカゴはまだ寒く、私はこの時期に庭に出ることがほとんどないため、これまで気づいたことはありませんでした。

クロッカスは毎年そこに咲いていたのに、私が注意を払わなかったために見逃していたのだとしたら、何ともったいないことでしょうか。四月になって大きく伸びてくるチューリップや水仙のことは毎年楽しんでいましたが、クロッカスは植えたことさえ忘れていたのです。

私たちの人生における神の臨在や働きも、しばしばそのようなものです。よく注意を払わなければ、簡単に見逃してしまいます。大きな出来事には気づきますが、ささいに思えることは気付かずに通り過ぎます。神の細いかすかな御声も、すぐに周囲の音にかき消され、私たちの注意を奪う大きな刺激や情報に翻弄されてしまいます。神がそこにもおられることを、忘れてしまうのです。

私は、霊的同伴者として被同伴者の方々が分かち合ってくださるお話を伺うとき、神がその人の人生の中で働いておられる様子を最前列の特等席で見せていただいているようだ、と感じることがよくあります。一つひとつの出来事は、必ずしも「証」として大勢の前で語られるようなことではないかもしれません。人の人生の中で神がなさっておられる働きは、耳目を集める華々しいものばかりではないのです。ときには本人でさえ、そこにある神の臨在や働きに気づかないことがあります。しかしそこに神がおられると気づくなら、どんな体験も、親密で、驚きに満ちた、それはそれは神聖なものとなります。

神はこの地上で、人の人生の中で、また人の人生を通して、たくさんのお働きをなさり、たくさんの奇跡を起こしてくださっています。ダビデが「人とは何ものなのでしょう。あなたが心に留められるとは。人の子とはいったい何ものなのでしょう。あなたが顧みてくださるとは」（詩篇8・4）と謳ったように、神の愛は思わず息をのむほどに麗しく、尊いものです。そしてこんなにも尊いものを、同伴の働きを通して間近で見させていただけるとは、何という喜び、何という特権だろうと思うのです。

「はじめに」で触れましたが、本書は二〇一六年夏、キリスト教雑誌『舟の右側』二〇一六年八月号（地引網出版）への寄稿と、二〇一九年一〇月に東京で行われた、クリスチャン・ライフ成長研究会主催による講座での講演原稿がもとになっています。当時、その講座についてある友人と話していたとき、「その講座を準備するにあたって、何を目指していますか？」と尋ねられました。私は、「霊的同伴の世界観を知ってほしい、こういう世界があることを知ってほしいと思って準備しています」と答えました。それは、霊的同伴の具体的な方法、ノウハウや効用を知ってほしいというより、霊的同伴というものが、これまで私たちが一般的に慣れ親しんできた世界と、いかに異なるダイナミクスのもとでなされるものか、それを漠然とでもいいので感じてほしいという意味でした。本書にも同じ願いが込められています。

すでに書きましたように、霊的同伴は神がこの地上に注いでおられるたくさんの恵みの中の一つにすぎません。しかし本書が、こんな恵みもあるのだとご紹介するものとなるなら、著者としてとても嬉しいことです。今後、日本で霊的同伴の働きがどのように用いられていくのか、私には分かりません。広がっていくことを願っていますが、それもまた主の御手の中にあることです。必要なときに必要な働きを主が建て上げ、用いてくださるよう祈ります。そして、同伴を通してであれ、あるいは別の方法を通してであれ、私たちがキリストにある共同体として共にますます主を仰ぎ見、全身をもって主の愛を受け取り、そこから溢れ出るいのちによって生かされ、互いに生かし合う者とされますように。

謝辞

本書の出版にあたり、出版社あめんどうの小渕春夫氏には大変お世話になりました。本書の意義を信じて「出しましょう」とおっしゃってくださり、構成から内容に至るまで多くの有益なアドバイスやコメントをいただきました。深く感謝いたします。小渕氏の尽力なしに本書の実現はあり得ませんでした。

また、カトリック麹町聖イグナチオ教会主任司祭・英 隆一朗師は、ご多忙の中、本書の最終原稿に目を通してくださり、特にカトリックの視点から用語や表現などへの貴重なコメントをくださいました。心より感謝いたします。

毎月私の話を聴き、長年私の魂の旅路に寄り添ってくださっている私の霊的同伴者のワイチン・マツオカ氏、同伴者養成プログラムでのクラスメートでありピアスーパーヴィジョンの仲間であるドナ、ジム、ジェニー、そして私のスピリチュアル・フレンドであり霊的同伴者仲間のクームス真喜さんにも感謝します。皆さんのおかげで、私は自分の旅路にも忠実であり続けることができます。

さらに、邦人ミニストリーでの同労者である尾関祐子さん、倉田めぐみさん、中尾真紀子さんは、本書第8章の手順に従ったグループによる霊的同伴を、一年以上にわたり一緒に体験してくださいました。共に学び、重荷を負い合い、喜びを共有できる、主にある尊い友情を感謝します。

そして私が同伴させていただいているお一人お一人に、心より感謝いたします。私のように未熟な者を同伴者として信頼し、皆さんの大切な宝をお分かちくださり、共に歩ませてくださっていること、私にとってこれほどの光栄はありません。私が本書に書いたものと違うことを行っていたら、遠慮なくご指摘ください。

最後に、人生の同伴者である夫に感謝します。あなたが私の夫でよかった。

中村佐知

二〇二一年九月　シカゴにて

付録　福音主義霊的同伴者協会（ＥＳＤＡ）の倫理規程

霊的同伴は、キリスト教会において豊かな歴史を持つ働きです。いくつもの宗教で実践されているため、それを念頭に置いて設定された倫理規程もありますが、福音主義霊的同伴者協会（Evangelical Spiritual Directors Association, 略称ＥＳＤＡ）では、特にクリスチャンの同伴者向けに倫理ガイドラインを構築しました。これは、私たちが理解する霊的同伴の働きは、キリスト教信仰に直接的、かつ深く根ざすものであるからです。

クリスチャンの霊的同伴とは何よりも、一人のクリスチャン（被同伴者）が自分の生活における神の臨在と活動を識別し、またそれに対する自分の反応と応答を識別することを、もう一人のクリスチャン（同伴者）が助ける働きです。霊的同伴における真の導き手は神であるとよく言われます。人間の導き手（同伴者）は、むしろそこに立ち会う人であり、被同伴者のために神の活動のある方向を指し示します。霊的同伴はグループで行われることもあります。その場合は、一人のクリスチャンが自分の生活における神の活動を識別するのを、仲間の複数のクリスチャンが祈りをもって助けます。この倫理規程は、おもに伝統的な一対一の霊的同伴に焦点を当てています。

なお、ＥＳＤＡが神について言及するとき、聖書の中でご自身を明らかにされている三位一体の神、すなわち父、子、聖霊を意味します。神の活動とは、聖書の中に現された神のご性質と、十字架上での主イエス・キリストの贖い(あがない)の業に基づくものです。霊的同伴とは、父、子、そしてイエス・キリストの御霊なる内住の聖霊が、信者をどのようにキリストの似姿に変容していくか、また、そのプロセスに参画するようにとの神の招きに、信仰者がどのように応答しているか、あるいはしていないかを考えることです。（ローマ５・１〜５、８・26〜30）

倫理を重んじる同伴者は、他者と健全で適切な関係を持つことをつねに求めます。そこには、神、自分自身、自分が同伴している人たち（被同伴者）、地域社会や世の中の人たちが含まれます。愛は私たちの最高の召命であり、命令であり（マタイ22・36〜40）、すべてのほかの倫理的配慮はこの大原則に基づくべきです。しかし、何らかの分野で訓練を受け経験を積んでいる人と、それと同等の訓練や経験を持たない人が交流するとき、そこに力の不均衡が生じます。そしてその力を乱用したり、乱用されたりする危険が生じます。それは双方にとって危険なことです。同伴者がこの愛による働きを行うにあたり、適切にふるまい、起こりうる倫理的な状況を認識し、それらに対して備え、自らの「欺きやすい」心の状態（エレミヤ17・9）を考慮するために、以下の倫理的ガイドラインが助けになることを願います。

霊的同伴者と神の関係

霊的同伴者の第一の責任は、自分と神との関係です（申命記6・5、マタイ22・37）。同伴者は、神からの召命と信仰共同体からの同意を受け、同伴の働きを提供するようになります。そしてその召命が続く限り、この働きを継続します。同伴者への召しのある人は、まず自分自身が霊的同伴を体験し、それからこの働きに入るための訓練を受けるようにします。そしてこの働きをよりよく提供できるよう、絶えず知識と技能を高める努力をします。

同伴者は、祈りと礼拝を定期的に実践し、キリストのからだにおける共同体生活に参画することを通して、自分自身の霊的な生活に細心の注意を払います。同伴者はすべての行動において神を礼拝し、敬い、イエス・キリストの弟子としてキリストに似た者に成長していくことを求めます。祈り、礼拝、聖書の学び、その他の修練を通し、また神学、教会史、霊的実践、その他の信仰とこの働きに関連する分野の学びを通して、神に対する知識と理解を深めていきます。クリスチャンの同伴者は、キリスト教信仰の基礎となる真理に根ざし、その文脈の中で自分の働きを実践することを求めます。

同伴者は、この働きは神の教会、そして神との関係を求める人々への務めであると考えます。そのために、伝統的な弟子訓練であれ、古典的な霊的修練であれ、他の支援の働きを紹介することであれ、それぞれの被同伴者の成長に最も助けになるものを考えつつ、何がその被同伴者の最善であるかを見極めます。

同伴者は、何よりもまず神が被同伴者の霊的生活を導いていること覚え、被同伴者自身の生活における神の導きに従うことを求めます。何をすべきか、どうなるべきかといった自分の考えを押し付けることはしません。同伴者は、神のことばに根ざし、贖（あがな）いをもたらす神の臨在を意識しつつ、同伴の働きを実践します。

被同伴者は、真のディレクター（導き手）である神と会うために同伴を受けに来ます。ですから同伴者は、被同伴者との時間と空間を神聖なもの、つまり生ける神に出会うための厳（おごそ）かな場所だと見なし、適切な準備、雰囲気、心遣い、配慮、境界線をもってその体験を尊重します。

霊的同伴者と自分自身の関係

霊的同伴者は、自分は限界のある者であり、自分が神ではないことを認識しています。それゆえに、自らの個人的ニーズと境界線を認識し、尊重し、注意を払うように努めます。同伴者は、自らの個人的、対人的、関係的なニーズを、同伴関係の外で満たすように努め、たとえ無意識のうちにおいても、被同伴者との関係でそれらのニーズを満たそうとしません。また、あまりにも多くの被同伴者を引き受けないように注意し、被同伴者一人ひとり、自分自身、および自分の生活におけるさまざまな責任に適切に注意を払えるよう、充分なスペースを確保するよう努めます。

同伴者は、自分も被同伴者と同じく、神の国への旅路の途上にあり、同じ羊飼いに従う羊の一匹であることを忘れません。そのため、自らも定期的に霊的同伴を受け、祈りと霊的修練を忠実に続け、教会に属します。さらに、この働きのために定期的にスーパーヴィジョンやコンサルテーションを受けます。これは、自分では気ついていない弱さや恐れ、偏見のある部分を特定して盲点をなくし、自己と他者を適切にケアできるようにするためです。

同伴者は、自分自身の霊的、感情的な成熟を求めます。この生涯では完璧になれません。しかし、安全を保って他者に寄り添いつつも個人的な境界線を維持し、自分の中に強い感情が湧くときは、それを抑制できる感情的な健全さを求めます。

同伴者はまた、自分自身の身体的健康に気をつけます。病気やストレスがあると、被同伴者に百パーセントの注意を向けられなくなることを認識し、自分の身体のケアを怠りません。

同伴者は、自らの生活でエネルギーと注意を充分に向けて扱うべきニーズがあると気づいた場合、あるいはそのようなニーズによって同伴のプロセスに集中できなくなっていると気づいた場合は、その時期が過ぎるまでこの働きから離れます。その期間に、コンサルテーションを受けることも有益でしょう。

さらに同伴者は、同伴の働きでの自分の強みと限界を認識し、他の支援の働きを行っている人たち（他の同伴者、セラピスト、牧師、別の働き、団体など）のリストを用意し、自分よりその人たちのほうが適切な援助を提供できそうな場合、それを被同伴者に勧めることができるように準備しておきます。

霊的同伴者と被同伴者の関係

同伴者は、最も大切な主の戒めの二番目「隣人を自分のように愛しなさい」（マタイ22・39）を満たすことを目指します。同伴者は、被同伴者に対する神の愛と、その愛を神がどのように被同伴者の生活の中で現しておられるかに合わせて自分の務めを行います。霊的同伴は祈りに満ちた務めであり、同伴者は被同伴者との関係が続くあいだは、被同伴者のために定期的に祈ります。

同伴者は、同伴を求めてくる一人ひとりを神のかたちに造られたものとして尊重し、適切な尊厳と配慮をもって接します。同伴者は、同伴を求めてくる人にほかの同伴者を紹介することもあります。たとえば、同性としか同伴しないと決めている場合や、相手の宗教的背景や関心事において充分な経験がないとき、年齢、言語、文化的限界があるときなどです。同伴者は、同伴を求める人に適した同伴者を見つけられるよう最善を尽くします。

同伴関係を始めるときは、同伴者は書面または口頭のいずれかで、同伴関係に伴う境界線がどのようなものであるか、被同伴者との間での「合意・誓約」を明確にします。この誓約には、心理療法や牧会カウンセリングやメンタリングなど、他の支援関係と同伴がどのように異なるかが示されるべきです。そして、被同伴者が同伴関係から何を期待できるのかも明確にします。それはたとえば、他の支援の働きが紹介されるかもしれないこと、一回のセッションの長さや頻度、会う場所、どのような倫理規程のもとで同伴がなされるか、費用（もしあれば）、守秘義務、同伴関係の評価と終了の仕方などです。

霊的同伴には厳格な守秘義務が伴い、セッションの内容はもちろん、自分が誰の同伴をしているかもいっさい口外しません。同伴の神聖な空間で被同伴者が分かちあうことは、すべて神聖で大切なものとして扱います。セッションに関する記録を作る場合は、同様に安全に保管します。セッションの内容は、スーパーヴィジョン、またはコンサルテーションの目的のためにのみ、スーパーヴァイザーと分かち合う可能性があることを、最初に被同伴者に伝えます。ピアスーパーヴィジョンで分かち合われる場合も、すべての参加者が厳密な守秘義務のもとに置かれます。同伴者は被同伴者のプライバシーと尊厳を守るために細心の注意を払います。

しかし、被同伴者が自分自身や他の者へ身体的危害を及ぼす可能性を口にした場合、同伴者は被同伴者にその旨を伝えた上で、しかるべき機関や人に連絡して介入すべきです。同伴者の居住地区によっては、虐待の報告を義務付けられている場合もあるかもしれません。[1] そのような場合は、同伴関係の開始時に、これらの基準も明確に伝えます。

被同伴者とのやり取りは、すべてある種の異文化との出会いです。神以外には誰もその人の霊的生活の専門家ではありません。同伴者は被同伴者の体験に敬意をもって耳を傾け、被同伴者の言葉や表現の背後にある正確な意味を、自分が理解できていると当然のように仮定しません。同様に、同伴者は被同伴者の個人的な生活を不必要に詮索することもしません。

心理療法のような援助関係では、クライアントとの二重関係を厳密に回避しますが、霊的同伴でも可能な限り被同伴者との間に二重関係を持たないようにします。とはいえ、重複関係が避けられない場合もあるので、そのような状況下で被同伴者にとって安全で神聖な場所として同伴を保つために、同伴以外での関係をどう制限すべきか最善を尽くして考慮します。特に注意が必要なのは、インターネットのＳＮＳを通じたかかわり方です。本来あるべき形での同伴関係に妥協が生じるような状況になった場合は、そのような状況から、あるいは同伴関係そのものから身を引きます。一般的に同伴者は、被同伴者と直接顔を合わせて接することが好ましいとされており、非対面での接触には賢明な注意と配慮を払います。

同伴者は、霊的同伴の関係にはある種の力の差があることを認識し、それが同伴関係になるべく影響を与えないよう努力します。同伴者は、良好な心理的境界線を保つよう注意を払い、転移や逆転移が起こっていないか注意し、それが起こっていたら払拭するようにします。同伴者は、自分と被同伴者との間の身体的接触にも注意し、つねに適切な身体的境界線を保ちます。同伴者は、それが言葉や行動を含むかどうかにかかわらず、被同伴者を性的対象と見たり（あるいは自分をそのように見せたり）、虐待的、操作的、強制的な行動をとらないようにします。被同伴者に関する性的な考えが自然と生じることもあり得ますが、その場合はスーパーヴィジョンやコンサルテーションに持っていく必要があるでしょう。

関係は時間の経過とともに変化します。同伴者は被同伴者との関係の状態をつねに吟味し、同伴関係を継続することが適切であるかどうかを見極めます。時間の経過とともに、同伴関係が同伴を超えた友情や、同労者としての関係に変化した場合には、そのことについて被同伴者と話し合い、正式な同伴関係を丁重に終了します。

霊的同伴者と社会の関係

霊的同伴者は、仲間の同伴者たち、他の支援の働きでの同僚たち、つまり社会との関係において、重要な第二の戒め（「隣人愛」マタイ22・39）を実践し続けます。同伴者は、この分野において、また分野を超えて協調関係を維持し、同伴以外の他の働きを軽視しません。同伴者同士も互いに支え合い、共同体的な共有を大切にし、自分たちの働きを向上させるために助け合うことを目指します。

心理セラピーを受けている人が霊的同伴に来る場合、同伴者はその関係を尊重し、霊的同伴も受けていることをその療法士に知らせるよう被同伴者に伝えます。

同伴者は、自分の立場・肩書きなどを適切に表現します。同伴者は自分の資格や所属を偽ってはいけません。自分の同伴の働きは神からの贈り物であることを自覚し、その働きを商品かのように不当に利用することはしません。

同伴者は、年齢、人種、民族、肌の色、国籍、性別、性的指向、宗教、障がい、配偶者の有無、政治的信条、あらゆる個人的特徴、属性、状態、地位に関係なく、社会のすべての人を尊重し、大切にします。

ＥＳＤＡは、この倫理規程を有益な行動指針とするだけでなく、霊的同伴にかかわる多くの人間関係の中で、愛がどのようにガイドとなりうるかというヴィジョンの提供を願っています。私たちＥＳＤＡは、同伴者たちが定期的に時間をとってここに記したガイドラインを見直し、この働きに聖霊が真理と知恵の光を照らしてくれるよう祈り求めることを願います。私たちの働きはこれらの基準に満たないときもあるかもしれません。そのときは、この愛の働き（ヘブル4・14〜16）を担い続けるために、主であり救い主であるイエス・キリストの御座に何度でも戻って、神の恵みとあわれみによって導いていただきましょう。

1 これは児童虐待やネグレクトの疑いのある事例を報告することが法律で義務付けられている場合を指します。報告義務に関する法律は州（米国）によって異なります。

出典　https://www.graftedlife.org/spiritual-direction/esda/code-of-ethics

ＥＳＤＡの許可のもとに翻訳掲載

著者◎**中村佐知**（なかむら・さち）
神奈川県育ち。シカゴ在住。プリンストン大学大学院卒。哲学博士（認知心理学）、翻訳家。
霊的同伴者。伝道者聖ヨハネ エピスコパル教会教会員
著書：『隣に座って』『まだ暗いうちに』（いのちのことば社）
訳書：『驚くべき希望』『心の刷新を求めて』『聖書に学ぶ子育てコーチング』（あめんどう）
『福音の再発見』（キリスト新聞社）、『境界線』『あなたがずっと求めていた人生』（地引網出版）
『子どもに愛が伝わる五つの方法』（いのちのことば社）他。

魂をもてなす

霊的同伴への招待

2021年 12 月 10 日 第 1 刷発行
2022年 8 月 30 日 第 2 刷発行

著　者　中村 佐知

装　幀　長尾 優
発行者　小渕春夫
発行所　有限会社 あめんどう
〒101-0062 東京都千代田区神田駿河台2-1 OCCビル
www.amen-do.com
メール: info@amen-do.com
電　話　03-3293-3603　FAX 03-3293-3605

ISBN978-4-900677-42-5
印刷 モリモト印刷
2021 Printed in Japan